A CHAQUE PLAT
SON VIN

Hélène Chevet

A CHAQUE PLAT
SON VIN

ÉDITIONS DE VECCHI S.A.
52, rue Montmartre
75002 PARIS

Malgré l'attention portée à la rédaction de cet ouvrage, l'auteur ou son éditeur ne peuvent assumer une quelconque responsabilité du fait des informations proposées (formules, recettes, techniques, etc.) dans le texte.
Il est conseillé, selon les problèmes spécifiques – et souvent uniques – de chaque lecteur, de prendre l'avis de personnes qualifiées pour obtenir les renseignements les plus complets, les plus précis et les plus actuels possible.

Photos de couverture et de l'intérieur : © G. Gambier (Alpha Oméga)

© 1996 Éditions De Vecchi S.A. - Paris
© 2001 Nouvelle édition - Éditions De Vecchi S.A. - Paris
Imprimé en Italie

Introduction

Il existe en France une civilisation du vin toujours bien vivante depuis l'époque des Gaulois et des Romains et qui se traduit par une production très importante et surtout très variée. Le vignoble français est d'une richesse incroyable. Il a de quoi faire le bonheur de tous les amateurs, et peut répondre à tous les goûts. Une réglementation rigoureuse est intervenue pour garantir la qualité indispensable au bon renom des vins (plus de sauternes au nitrure de sodium!) et essayer de maintenir dans des limites acceptables la course au rendement et donc au profit qui menaçait notre viticulture.

Cette civilisation du vin ne se manifeste pas seulement par des règlements: si la culture de la vigne exige aujourd'hui, comme autrefois, un long apprentissage et un soin minutieux, les différents procédés de vinification ont fait des progrès considérables. Les vignerons connaissent par cœur leur vignoble et soignent leur vigne avec amour. Ils sont en France des milliers dont le vin mérite d'être dégusté.

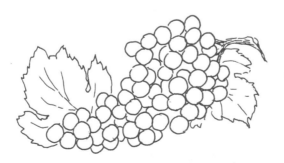

Au pays du savoir-vivre et des trésors gastronomiques, les plaisirs de la table revêtent une telle importance qu'ils font dire à Brillat-Savarin: "La destinée des nations dépend de la manière dont elles se nourrissent", ou à Jean Anouilh: "Monsieur Damiens, passons à table! C'est la fin naturelle en France: noces, baptêmes, duels, enterrements, escroqueries, affaires d'Etat, tout est prétexte à cette fin-là".

Sans aller jusqu'à ne vivre que pour manger, on aime à faire qu'un repas, même simple, soit un moment aussi agréable que possible. La grande diversité des vins, alliée à la multiplicité des recettes met le consommateur devant un dilemme perpétuel: quel vin choisir avec quel plat? Comment éviter que leurs saveurs respectives ne se contrarient, comment parvenir à un mariage aussi parfait que possible?

Les vins et les plats qu'ils accompagnent ne se combinent pas indifféremment. Ce livre essayera donc d'être utile au lecteur en lui prodiguant quelques conseils, quelques notions de base, quelques règles indispensables, et fera une large place aux accords, nouveaux ou traditionnels, qui régissent le vaste domaine de la gastronomie.

Aperçu de l'histoire du vin

Origines

Notre vigne cultivée est-elle la vigne sauvage apprivoisée ou vient-elle du Caucase? La question n'est pas résolue. Si les hommes préhistoriques pressaient des raisins pour en boire le jus, rien ne dit que cela ressemblait à du vin. Ce sont les Grecs qui ont fait connaître les premières méthodes de vinification, les Romains se les approprièrent et les Gaulois à leur tour en bénéficièrent.

Les Grecs savaient faire le vin, et en étaient fiers. Voilà qui les distinguait des nomades et barbares de tout poil, simples buveurs de lait. Déjà, ils savaient que l'abondance des grappes nuit à la qualité du vin, et ils sélectionnaient les cépages à petits grains très concentrés, ceux qui doivent lutter pour survivre et qui seuls donnent le bon vin. Ils connaissaient aussi l'importance de la taille de la vigne, dont dépend également la qualité du raisin (une autre conséquence de la taille, c'est d'épuiser le plan, obligeant ainsi à replanter tous les trente ans.) Une légende attribue à un âne la découverte des bienfaits de la taille: après le passage dans leur vigne d'un âne affamé, les propriétaires de celle-ci auraient récolté un bien meilleur raisin, reprenant ensuite à leur compte ce que l'âne leur avait enseigné. Le vin était hautement considéré: on l'offrait aux hôtes de marque, servi dans des verres richement décorés. Homère parle de ce vin noir et si doux, et qui devait être très parfumé ("il fallait n'en verser qu'une coupe remplie dans vingt mesures d'eau, et l'odeur montait si douce que c'en était divin"). Le vin était également un objet de commerce florissant. Il voyageait par bateaux, dans de vastes amphores, et sur terre dans des outres en peaux de chèvres, moins sujettes à la casse (les

Celtes, plus tard, inventeront le tonneau). Qu'on imagine la lenteur et l'incertitude des longs voyages en ces temps reculés, et on aura une idée de la richesse que représentait le vin et du succès qu'il remportait là où il n'était pas connu et cultivé: voyez ces "barbares" ignorants à qui le rusé marchand fait goûter son produit jusqu'à ce qu'une douce euphorie facilite le marché! On échangeait contre du vin les valeurs les plus précieuses, l'or, et surtout les esclaves, que les plus ivrognes allaient chercher jusque parmi leurs propres enfants.

Après la Grèce, l'Italie eut aussi ses vignobles, dont celui de Falerne, en Campanie, était le plus renommé.

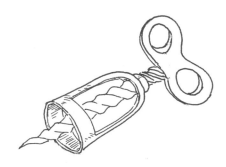

Le vin en Gaule

Les habitants de la Gaule n'avaient pas la réputation d'être accueillants, et si dès le VIe siècle avant Jésus-Christ à Marseille, grâce aux Grecs, on connaissait le vin, on préférait, pour son exportation vers l'Angleterre, prendre le chemin de la mer, en faisant le tour de l'Espagne, que de traverser ce qui deviendra la France. En effet, si on n'y produisait pas encore de vin, on aimait déjà le boire, et les caravanes des Grecs risquaient fort d'être dévalisées. Dans leurs festins, les Celtes buvaient beaucoup, étaient rapidement ivres, et prenant leurs armes se jetaient les uns sur les autres. Même les femmes s'en mêlaient, et la fête finissait dans le sang. Les clans gaulois étaient connus pour leur mauvaise entente et leurs querelles continuelles. Les Romains apporteront donc, après la conquête, la "paix romaine"; la lente et progressive colonisation romaine va introduire la culture de la vigne en Gaule, au profit d'abord et naturellement des Romains. Le vignoble s'installe à Narbonne, puis à Gaillac et le long du Rhône. Des axes commerciaux, coupés de nombreux droits de douane et taxes diverses et rentables, permettent au vin d'atteindre de nouveaux marchés, et aux fonctionnaires de César de s'enrichir, parfois immensément.

Bordeaux devient un port fluvial et maritime pour le trafic du vin et commence à implanter ses propres vignobles. Au début de la conquête romaine, seuls les Romains avaient le droit de posséder de la vigne. Petit à petit, les personnages gaulois importants vont y être admis et dans la vallée du Rhône les vins commencent à acquérir, dès le Ier siècle, une grande réputation, car ils appliqueront leur génie, jusque-là guerrier, à la fabrication de leurs vins. Les Gallo-Romains vont désormais n'avoir de cesse de faire progresser les vignobles, jusque dans les régions réputées impropres, de par leur climat, à la culture de la vigne. De la vallée du Rhône, la vigne va gagner vers le Nord, grignotant la Bourgogne, d'abord méridionale. Par adaptation et transformation des cépages, on va développer l'ancêtre de l'actuel pinot, qui fait merveille en Côte d'Or, et qu'on implantera quelques siècles plus tard en Champagne avec un succès égal. A Bordeaux, on ramène d'Espagne le cépage qui va résister et s'adapter si bien au climat de cette partie de l'Aquitaine. Il ne s'appelle pas encore cabernet, mais, le nom mis à part, la similitude est grande. Cette civilisation/colonisation par la vigne suit les routes du commerce: par la vallée du Rhône vers les peuples nordiques (Belgique, Allemagne, etc.), par Bordeaux vers l'Irlande et l'Angleterre, où le vin est l'apanage des rois et des héros. Rapidement, grâce à leur position géographique plus stratégique, les vins gaulois vont supplanter les vins italiens et ils seront bus même à Rome. Ce développement ne se produit pas sans exagérations: les empereurs romains tenteront à plusieurs reprises et par divers décrets d'endiguer cette expansion, en s'attaquant essentiellement aux vins de mauvaise qualité. Tous ces décrets resteront plus ou moins lettre morte, trop d'intérêts étant liés à la vigne. Constatant l'impossibilité du retour en arrière mais aussi les avantages qu'on en peut obtenir, vers la fin du IIIe siècle, l'empereur Probus donne aux Gaulois le droit de planter de la vigne comme bon leur semble, dans tous les terrains de leur choix. C'est le moment de l'essor de la Bourgogne, qui va très vite connaître, grâce à ses vins, la célébrité. Ce succès va donner des idées à tout le monde: les habitants des vallées de la Loire et de la Seine, et même ceux des rivages de la Manche, les Anglais compris, tentent l'aventure, en dépit de leur climat a priori peu favorable, et se lancent dans la culture de la vigne. Au bout de quelques décennies, ces nouvelles plantations vont porter un rude coup au commerce bordelais et bourguignon. On fait du vin à

Lutèce, et même du bon. Les traditions qui prennent racine avec les vignobles de la région parisienne en ces temps lointains seront si vivaces qu'aujourd'hui encore il subsiste à Montmartre, clôturé d'immeubles, un carré de vigne dont ce n'est pas la qualité du vin qu'il produit qui en justifie la conservation; de même à la mairie de Suresnes vous pouvez acheter le vin du cru.

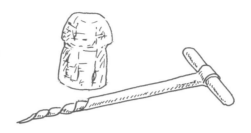

Du Moyen Age au XVIIe siècle

Après les Romains, qui auront tant fait pour la propagation de la vigne et du vin, c'est l'église qui va en assurer la conservation, non pas seulement en vue de se procurer le vin indispensable à la célébration de la messe, mais parce que le vin est une richesse qu'il s'agit d'exploiter, et parce qu'il a une importance sociale. Le vin fait partie de la vie, il est aussi nécessaire que le pain; il n'est pas comme le pain une nécessité matérielle, car à cette époque tout le monde n'en boit pas, loin de là (ce n'est que plus tard qu'il sera considéré comme aussi indispensable que le pain pour se nourrir), mais il se situe sur un plan culturel: un bon vin fait l'orgueil d'une région, et, généreusement offert aux puissants et aux princes, il participe à la protection des habitants. Chaque cathédrale a son vignoble, et même chaque vignoble a sa cathédrale car les vignobles fameux attirent les évêques qui en retour savent les entretenir, les propager et les améliorer. La construction d'une abbaye ou d'un monastère n'allait pas sans la plantation d'une vigne et la situation géographique pas toujours judicieuse était compensée par un grand savoir-faire, beaucoup de travail, l'utilisation des meilleures méthodes. En effet, ce n'est pas seulement la nature qui fait le vin, même s'il est un produit naturel; si on la laissait faire, on ne connaîtrait pas le plaisir de boire du bon vin. Les communautés religieuses recevaient de nombreux voyageurs et se faisaient un devoir de bien les accueillir. Manquer de vin aurait été le comble de l'impolitesse et même un déshonneur, car les lois de l'hospitalité étaient sacrées. Fort heureusement, nombreux sont les saints de cette époque qui, par la grâce divine et une ardente prière, savaient miraculeusement remplir les tonneaux vides! Il y a de très nombreux récits attestant des faits de ce genre, et cela prouve en tout cas l'importance du vin lorsqu'on voulait honorer un hôte.

Les dignitaires ecclésiastiques ne sont naturellement pas les seuls à cultiver la vigne: c'est également le fait des rois, des seigneurs grands et petits, de tous ceux qui peuvent se prévaloir de faire partie des privilégiés. Dans toute la chrétienté viticole, la vigne est un attribut des puissants et même certains blasons s'ornent de grappes de raisin, ce qui montre assez l'estime qu'on portait à la vigne. Le pressoir et le four font partie du château.

Aux alentours du Xe siècle, la partie nord de la France souffle aux régions viticoles du Sud la prépondérance du commerce avec les pays nordiques non producteurs. Ce n'est que vers le XIIIe siècle, lorsque les besoins en vin de ces pays dépasseront les possibilités offertes par les vallées de la Seine, de la Loire ou de la Moselle, que les vins des autres vignobles français reprendront leurs itinéraires européens. Ces besoins accrus vont d'abord faire naître de nouveaux vignobles puisque le vin, à condition qu'il soit de suffisamment bonne qualité, trouvait des débouchés lucratifs. Le trafic fluvial devenant très actif sur le Rhin, l'Alsace se dote de vignes et le vin du Rhin, traversant la mer du Nord, va en Angleterre concurrencer le vin de Bordeaux et le vin de Paris. Au Moyen Age, la Normandie produit de très bons vins, tant blancs que rouges, et l'Ile-de-France, c'est-à-dire surtout Paris et ses environs, Saint-Denis, Montmorency, Suresnes, Argenteuil, Vanves, et à l'intérieur du Paris actuel Clignancourt, Vaugirard, Charonne ou Picpus, n'est pas en reste. Le roi lui-même a sa vigne sur la montagne Sainte-Geneviève, et l'imitent tous ceux qui en ont les moyens. Pour compenser les mauvaises années, on se mettra petit à petit à acheter des terres plus au sud, afin d'avoir toujours du vin. La production de la région parisienne est exportée jusqu'au Danemark. Elle est de qualité, puisque le roi en boit, et même le duc de Bourgogne! La qualité appréciée à cette époque et qu'on recherche dans les vins blancs de Paris et de Reims, c'est la pureté et la transparence. Le vin doit être de couleur claire, presque comme de l'eau, et il ne doit pas être capiteux; les vins trop forts qui montent à la tête sont dédaignés. Le reproche qu'on peut faire à ces vins qui sont récoltés à l'extrême limite septentrionale de la vigne, est d'être trop irréguliers: après un été froid et pluvieux, le vin n'est que verjus, c'est-à-dire que sa saveur se rapproche plus de celle du citron que de celle du vin. Le vin "verdelet" va obliger les Parisiens à recourir aux vins de l'Yonne et du centre de la France. Ainsi Auxerre était-elle entourée uniquement de vignes, alors qu'elle n'en a plus aucune aujourd'hui. Orléans est à l'époque une cité viticole opulente, comparable à notre actuelle ville de Bordeaux. L'Anjou est également complètement tourné vers la production de vin. Saint-Pourçain, dans l'Allier, n'est pas aujourd'hui totalement oublié, et offre encore un vin honnête et estimé, mais au Moyen Age son vin était l'égal de celui de Beaune dans l'appréciation des connaisseurs.

Pour étendre cette industrie de la vigne qui remporte tant de suffrages, on a déboisé des forêts entières, défriché des terres incultes mais aussi remplacé des blés par de la vigne. Le vin est une matière d'exportation qui fait rentrer beaucoup d'argent dans les caisses du Trésor. De nouvelles levées d'impôts étaient remplacées par une augmentation des taxes sur le vin, et en achetant leurs vins plus cher, Anglais et Hollandais acquittaient ainsi une partie des frais de guerre du roi de France.

Pour s'imposer face à la vogue des vins de Paris, à partir du XVIIe siècle, les ducs de Bourgogne feront au vin de Beaune une efficace publicité. Ils sauront le rendre indispensable aux papes, installés en Avignon, ils le font connaître et apprécier en Artois et en Flandre, et à Paris, où ils résident à l'occasion, ils obtiendront sa consécration en fournissant la table du roi lui-même. Ils en ont amélioré la qualité, en interdisant le gamay, cépage qui en cette région ne donne pas de bons résultats. Philippe le Hardi, Philippe le Bon, Charles le Téméraire, autant de grands noms attachés à l'histoire du vin bourguignon et qui firent que la Côte d'Or acquit une célébrité dont elle ne s'est plus départie. Ce n'est qu'au XVIIe siècle qu'on contestera la souveraineté des vins de Beaune en leur opposant le vin de Champagne qui se fait un nom à ce moment-là.

Les vins d'Arbois furent également sous la protection des ducs de Bourgogne, grâce aux détours de l'histoire politique, et ils obtinrent avec eux un bon renom et une meilleure diffusion. Au XVIe siècle, les vins d'Arbois sont connus de toute l'Europe. Partis de leurs lointaines montagnes, ils figurent avec éclat au menu des banquets les plus somptueux. Durant le Moyen Age, les vins du Mâconnais et du Beaujolais, ainsi que ceux du pourtour méditerranéen français, n'exportent rien vers les riches pays de l'Europe du Nord. Les villes de Dijon et de Bordeaux, situées fort à propos pour elles sur les chemins obligatoires de passage pour ces vins, s'opposent par tous les moyens à leur libre circulation. Ces moyens sont divers, ils vont de la mise en place de douanes et de taxes à l'interdiction pure et simple, recourant même sans vergogne à la basse calomnie: dans la bouche d'un Dijonnais, les vins de Mâcon sont pauvres et sans force; de plus, ils sont mauvais pour la santé. Face à cette obstination, les gens du Midi trouvèrent une parade infaillible: sur les traces des Espagnols et des Portugais, ils se mirent à fabriquer des vins liquoreux (muscat, grenache, frontignan, etc.), fabrication qui n'était rendue possible que par le chaud climat qui était le leur. Ces vins liquoreux rencontrèrent, à partir du XVIe siècle, des amateurs fidèles. Ce n'est qu'au XVIIIe siècle que les vins non liquoreux du Midi commencèrent à être bus à Paris. On a tendance aujourd'hui, quand on parle de vins du Midi, à imaginer des vins forts en alcool mais sans grand caractère, coupés et mélangés pour la consommation de masse. Au XVIIIe siècle, ces vins étaient forcément des vins de bonne qualité, car ils devaient supporter le long voyage jusqu'à la capitale et justifier le prix du transport qui en faisait une denrée assez chère.

Quant aux vins du Rhône, la première barrière pour empêcher leur exportation se présente dès Lyon. Les Lyonnais ne supportent pas mieux la concurrence que les Dijonnais ou les Bordelais. Pourtant, les vins du Rhône sont connus et estimés à la cour du roi. Pour y parvenir, ils sont obligés de faire un détour en suivant la route de la Loire.

A la fin du XVIIIe siècle, l'autorisation sera accordée pour tous les vins de circuler librement dans tout le royaume. C'est la fin pour eux des douanes intérieures, des chicanes, et le moyen de réparer des oublis injustes.

Sur la façade atlantique, au XIIe siècle, La Rochelle est une "ville nouvelle", que la construction du port magnifique qu'on y admire encore aujourd'hui contribuera encore à développer. Les bateaux qui transportent le vin augmentent sans cesse leur tonnage, dans des proportions aussi impressionnantes pour l'époque que celles de nos pétroliers du XXe siècle, et on construit exprès pour les accueillir des ports, des pontons et des quais spéciaux. La Rochelle ne s'est pas contentée d'être un port, elle a créé son propre vignoble et elle exporte avantageusement vers le nord un vin moins renommé que celui de ses concurrents, mais plus régulier, car les mauvaises années sont rares si on compare le climat de La Rochelle à celui du Bassin parisien, et ce vin est bien meilleur marché. La ville de Bordeaux est la première à pâtir de cette redoutable concurrence, et elle ne pourra la dépasser qu'en s'attirant et en obtenant les faveurs du roi d'Angleterre. Bordeaux sera ainsi l'une des dernières possessions anglaises sur le continent. La

Rochelle devenue française laisse libre place à Bordeaux sur le marché anglais et Bordeaux agrandit son vignoble à travers landes et forêts, jusque dans les terrains marécageux normalement néfastes à la vigne et dont on apprend à tirer parti en les drainant. Mais cette extension se borne aux lieux que la ville tient sous son contrôle, car Bordeaux exerce, comme toutes les grandes cités qui tirent leurs richesses du commerce du vin, des prérogatives exhorbitantes sur la production et la circulation de celui-ci. C'est pour cette raison que la région du Médoc n'est pas plantée de vignes: aucun débouché ne leur aurait été permis. De même, la plus grande partie de l'arrière-pays et de la vallée de la Garonne, qui produisait autrefois d'excellents vins, se trouve confinée à l'auto-consommation, ce qui entraîne une chute vertigineuse de la qualité et une reconversion pour beaucoup d'anciens vignerons vers de nouvelles cultures moins jalousement protégées. Par exemple, Agen découvre sa vocation pour le pruneau, et seules quelques villes comme Bergerac ou comme Cahors sauront conserver un grand vignoble de qualité.

Vers le XVIIᵉ siècle, face à la plus grande production des vins du sud de la France et à l'amélioration des transports, on va cesser de faire du vin en Ile-de-France, Bretagne et Normandie, car il demande trop de travail chaque année pour une récolte qui ne répond pas assez souvent aux espoirs que l'on place en elle. On assiste maintenant à une surabondance des vins en France et cela aboutit à la transformation des surplus en eaux-de-vie. C'est vers l'eau-de-vie que s'oriente La Rochelle, après avoir gâché la qualité de son vin en recherchant des gros rendements. Cognac également fit commerce de ses vins avant d'être réputé pour ses eaux-de-vie. Comment en est-on arrivé à ces surproductions? A côté des cépages nobles inséparables d'une vinification de qualité garantissant le bon renom des vins, se développe dans les régions viticoles une autre façon de faire, correspondant à une optique différente: on utilise des cépages grossiers, et on cherche à tirer le maximum de revenus à partir de petits moyens. Telle est la vigne développée par les ouvriers agricoles et les petits propriétaires quand ils travaillent pour leur compte. Ils ne disposent que de peu de temps pour cultiver leurs propres terres, et leur vin est fait à la va-vite. Ils en retirent un profit immédiat, en le vendant sur les marchés locaux, à bas prix, mais la quantité doit compenser cet inconvénient. De nombreux édits et défenses ont été institués pour lutter contre ces pratiques, afin de défendre le prestige des grands vins, mais les temps ont changé, la place du vin dans la société aussi. Au Moyen Age, l'usage du vin était l'apanage des classes les plus riches, c'était véritablement un produit de luxe. Peu à peu, la consommation du vin s'est répandue parmi les populations moins aisées, et d'abord parmi les domestiques des grandes maisons, qui étaient autrefois très nombreux. On leur donnait les mauvais vins qui étaient invendables, et on en vint vite à cultiver spécialement pour eux ces mauvais vins. Les surplus furent vendus aux autres habitants. Le nombre de ceux-ci, au fur et à mesure que les villes s'agrandissaient, devint de plus en plus considérable, et ils purent alors s'approvisionner en vin chez les taverniers, qui sont les représentants d'une profession nouvelle qui connaît tout de suite un vif succès. Cette profession est réglementée; il est d'abord interdit aux habitants des villes de s'asseoir et de consommer du vin dans les tavernes de leur lieu de résidence, car elles sont destinées aux étrangers et aux voyageurs.

Comme on peut s'en douter, il y a de nombreux contrevenants à cette prescription et la désobéissance étant trop généralisée, ce règlement finit par être aboli à la fin du XVIIe siècle. Dans les campagnes, avec un peu de retard, le vin devient également objet de consommation courante. Les vignerons ne gardent plus tout leur vin pour la vente, ils ont leur réserve personnelle. Le nombre des personnes en état d'ébriété va augmenter considérablement, l'alcoolisme fait son apparition. Cette consommation de vin accrue suscite l'extension des vignobles où les cépages nobles sont abandonnés pour les plants à grand rendement qui font un vin médiocre. Si de nouveaux vignerons s'enrichissent, cela fera la perte de nombreuses régions viticoles, car de la diversité et de la richesse des gammes de vin dépend un succès durable: pour conquérir le monde et s'y maintenir, les vins ne sont protégés que par leur seule qualité. Si on ne fabrique plus que du tout-venant, le plaisir se perd, le sortilège disparaît, le vin n'est plus que prétexte à l'oubli. Si le chablis est encore aujourd'hui un grand vin, il le doit à sa situation géographique éloignée d'une rivière navigable: cela l'a détourné de la tentation de céder aux gros rendements pour approvisionner le bon peuple de Paris. Les habitants de Chablis étaient obligés de fabriquer un vin de qualité qui puisse survivre au transport par terre, et qui voyageait ainsi au-delà des frontières. Les vins de qualité n'ayant rien à redouter de la concurrence des vins du Midi, le chemin de fer n'a pas signé l'arrêt de mort du chablis, mais seulement celui des mauvais crus qu'Auxerre, par exemple, avait eu la faiblesse de commercialiser.

A Paris, le vin est très lourdement taxé. Pour profiter d'un prix beaucoup plus doux, ses habitants vont le boire hors la ville: c'est ainsi que naissent les guinguettes. On savait, dès le XVIIe siècle, ajouter du sucre ou de l'alcool à des vins faibles pour les améliorer, les vendre plus cher, leur donner le goût voulu par le public. A l'intention du peuple de Paris, régalé de mauvais vin blanc local, on fabrique du "bourgogne" en colorant ce vin en rouge (le cépage dit "teinturier", dont le nom désigne la destination, est cultivé pour cela) et le naïf qui s'imagine, en payant ce vin trois fois plus cher, arroser dignement quelque événement qu'il souhaite célébrer, n'est sauvé que par la foi! Quand l'invention du chemin de fer révolutionnera l'industrie du transport, les vignobles parisiens, qui avaient déjà perdu leur bonne réputation, n'auront plus aucune raison d'exister car les vins du sud de la France, encore moins chers et peut-être moins mauvais ou moins trafiqués, remplaceront complètement le petit vin de Paris.

Aujourd'hui, Orléans est célèbre pour son vinaigre, et d'après le paysage actuel on se demande d'où peut venir cette industrie. Elle est issue de la dégénérescence des vignobles. Ces vignobles commencèrent glorieusement, ils étaient producteurs de crus méritants et ils eurent leur heure de célébrité. Mais, avec le développement de l'usage du vin comme boisson courante du peuple et les profits que cela assurait, les vignobles d'Orléans se sont transformés et n'ont plus donné que des vins vulgaires. On récoltait en telle abondance que tout ne trouvait pas acquéreur, et on se mit à transformer soit en alcool, soit en vinaigre, les surplus qui, à cause de leur qualité déplorable, étaient bien incapables de se conserver jusqu'à l'année suivante. Les Orléanais, ayant abandonné le bon vin, firent du bon vinaigre.

Le "beaujolais": ses neuf grands crus furent toujours exportés au loin. Les vins du Beaujolais sud sont consommés à Lyon, et comme toute production locale, sont de médiocre qualité. Ceux du haut Beaujolais servent à améliorer les vins trop médiocres bus à Paris. On les vinifie pour cela en blanc, ce qui les dénature. Le chemin de fer sera défavorable pour les vignerons beaujolais, car il accorde aux vins du Midi des tarifs préférentiels. Quant à ceux-ci, ils deviennent tellement trafiqués, les fraudes atteignent de tels débordements, que la législation instaurant la protection des appellations d'origine contrôlée sera véritablement une œuvre de bienfaisance pour le vignoble d'abord et pour les victimes (consentantes) du tord-boyaux qu'on en tirait.

Les vins de Champagne, avant de faire des bulles, étaient de bons vins blancs, délicats, élégants, aussi recherchés que les crus parisiens du temps de leur gloire; ils étaient même très souvent confondus avec eux.

Pour compenser l'ingratitude du climat, la méthode de vinification est extrêmement attentive, la vendange soigneusement triée. Les Champenois ont été à l'école des meilleurs vignerons bourguignons, et ont donné préférence aux cépages nobles (pinot, chardonnay). De riches bourgeois, de grands seigneurs, useront de leur influence pour faire à ce vin une place au soleil et lui donneront son nom de champagne qui le distinguera des autres vins. Il est, au XVIIᵉ siècle, le vin à la mode, celui que l'on boit dans les bonnes maisons, chez les gens de goût. Dom Pérignon, moine vigneron des plus éclairés (quoiqu'aveugle, mais peut-être ce malheur l'a-t-il aidé à développer une sensibilité gustative et olfactive subtile), est maître dans l'art de choisir les raisins susceptibles de fournir un vin parfait, en combinant les variétés, les dosages et le degré de maturité. En bouteilles, les vins de Champagne un peu faibles devenaient effervescents. On les appelait "saute-bouchon" et le tout-Paris devint amoureux de cette mousse. Au cours du XVIIIᵉ, les vignerons s'employèrent donc à la provoquer, avec patience et ingéniosité, mais en gardant intactes les qualités du vin lui-même.

XVIIIᵉ et XIXᵉ siècles

Le XVIIIᵉ siècle est celui de la philosophie des Lumières, le siècle de la raison. On cherche à remplacer la pratique par la science, les méthodes empiriques par les données de l'agronomie. La querelle des vins de Bourgogne et des vins de Reims commença à coups de thèses de médecine, toutes plus tendancieuses les unes que les autres. Les beaux esprits et les poètes s'en mêlèrent, Paris fut inondé de pamphlets et de pièces satyriques à la gloire de l'un ou l'autre des deux champions. De nombreux livres s'adressent aux amateurs de bons vins, riches bourgeois et propriétaires curieux qui s'occupent de cultiver eux-mêmes leurs vignes (les tribunaux fermaient à l'époque des vendanges pour que les magistrats puissent veiller à l'élaboration de leur vin). Ces livres tendent vers une amélioration de la qualité, même si quelques-uns sont l'œuvre de charlatans comme par exemple celui qui propose "L'art de convertir en vins fins les vins les plus épais et les plus grossiers, par des procédés particuliers et inconnus"! Il y est déconseillé de faire pousser des légumes entre les plants, ou d'arracher les feuilles pour nourrir les vaches. Ces pratiques sont le fait des petits viticulteurs exploitants, producteurs de vins médiocres. Une législation réglemente leur activité, mais sans encore se soucier de qualité: les vins de qualité sont même défavorisés, par exemple par les prix. Pour faire des vins de qualité, il faut être fortuné: pour une bonne récolte, on peut en avoir cinq mauvaises et il faut quand même supporter tous les frais de la vigne, les travaux de labours, les tailles, le sarclage, l'ébourgeonnement, les greffes, les vendanges, les engrais, les bois des échalas auxquels on liait les vignes dans de nombreuses régions, l'achat des barriques (et dans les régions où le bois est rare et cher c'est une dépense qui oblige les petits exploitants à s'endetter), le prix du pressoir, la location des caves, la vinification, les impôts, les droits de vente, la commission des courtiers, sans parler du renouvellement des ceps épuisés par le défonçage des sols, l'arrachage des vieilles souches, et un investissement sur de nouvelles parcelles qui n'est pas rentable avant quatre ou cinq ans.

Ainsi, au fil des siècles, deux tendances se sont continuellement affrontées: celle qui prône la qualité, et celle qui revendique la quantité. Comme elles sont rigoureusement incompatibles, on l'a vu, la guerre était ouvertement déclarée entre les deux camps ennemis. Ceux qui recherchent la qualité sont les ecclésiastiques, les princes, les seigneurs, les riches bourgeois qui ont la possibilité d'investir de grosses sommes sans en tirer de profit chaque fois qu'un été froid et pluvieux détruit les récoltes. Si les couches aisées de la société consentent ce sacrifice, c'est bien sûr pour les revenus que les bonnes années permettent, mais c'est aussi parce qu'elles ont la fierté du vin qu'elles produisent. Elles mettent dans le vin qu'elles élèvent l'honneur de leur nom et de leurs terres. Chacun s'efforce de faire un vin digne de son rang, qui fasse gloire à sa maison, même s'il produit en si petite quantité qu'on ne puisse s'en enorgueillir qu'auprès des amis à qui on l'offre. Mais dans les grands vignobles, le vin est une richesse à l'exportation et les techniques commencent à être suffisamment maîtrisées pour fournir un vin qui réponde à la demande du public. L'autre tendance est née plus tard, quand le vin devient non plus un luxe réservé aux puissants mais une boisson populaire. Ceux qui la composent n'ont pas les moyens de perdre le moindre argent, ils n'ont que leur travail pour capital. Ce sont des journaliers, des ouvriers agricoles, qui pour gagner leur vie travaillent sur les vignes des autres. Possibilité leur est donnée de se mettre à leur compte, en plantant des vignes sur de nouveaux terrains, ce qu'ils trouvent le temps de faire en travaillant le soir, ou en resquillant des heures sur la journée du maître, car on est loin des trente-neuf heures par semaine et la journée de travail va de l'aube au couchant. Les débouchés qui s'offrent à eux sont toujours plus vastes, au fur et à mesure que l'usage du vin devient général et quotidien, et cela les incite à des profits rapides en vendant le plus possible. Ils planteront donc les cépages non nobles, et feront à la hâte un vin médiocre, incapable de se conserver, parfois même nuisible à la santé, mais qui cependant trouve preneur. L'appât du gain ruinera donc beaucoup de vignobles d'une ancienneté fameuse chaque fois que les propriétaires auront donné la préférence à un profit sûr et facile, rejetant une tradition glorieuse moins lucrative.

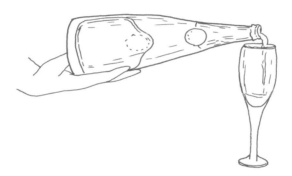

Au XIXᵉ siècle, le phylloxéra et le chemin de fer vont renouveler la carte des vins en France. La vigne ne manque pas d'amateurs: on a toujours lutté contre les lapins, les mulots, les "gribouris" et autres scarabées, les escargots, les guêpes, les charençons, les hannetons, les perce-oreilles, les cochenilles, l'oïdium, le mildiou, le black-rot, la chlorose, l'anthracnose, la brunissure, etc. Les maladies sont nombreuses, mais rien n'avait jamais atteint le degré de catastrophe auquel parvint le phylloxéra. Lui seul faillit éliminer complètement la vigne en France et ailleurs. Son attaque était sournoise, on ne s'apercevait de sa présence qu'une fois les dégâts faits de façon irrémédiable. Il aurait fallu traiter préventivement, mais on n'en avait pas les moyens financiers, on ne connaissait pas de méthode infaillible, et on préférait s'en remettre à sa bonne étoile, ce qui n'a pas donné de bons résultats: la progression du phylloxéra continua pendant trente ans. Il détruisit d'abord le Bordelais et le Midi, et les exploitants situés plus au nord durent commencer par se réjouir de cet effondrement de la concurrence. Mais ils déchantèrent vite, leurs vignes se mirent aussi à péricliter. Des crédits sont alloués par les autorités, car le puceron prend vite un caractère de fléau national; on brûle les ceps malades, on mine le terrain alentour, car le phylloxéra se fixe sur les racines avant de s'envoler vers d'autres vignes intactes. On essaie de l'éliminer par inondation des vignes, là où ce procédé coûteux est possible; on tente l'empoisonnement avec l'aide de la chimie; acide cyanhydrique, phosphore, hydrogène, sulfure de carbone. De nombreux inventeurs proposent des machines pour répandre, injecter, pulvériser, badigeonner ces produits. Tout cela coûte cher, prend beaucoup de temps, et ne donne pas de résultat certain. Il faut procéder à la replantation complète de tout le vignoble, par amélioration des ceps utilisés: sur un porte-greffe américain, très résistant par nature au phylloxéra, on greffe les cépages européens. Si les grandes propriétés viticoles se reconvertissent rapidement, il n'en est pas de même pour les petites qui ne peuvent acheter en quantité ces nouvelles variétés et doivent apprendre les techniques de greffe afin de pouvoir exécuter chez soi la culture des nouveaux plants.

Le phylloxéra vaincu, les vignerons, pour répondre aux besoins nouveaux du XIXe siècle, doivent se moderniser: les méthodes de vinification sont revues, les vignes sont traitées régulièrement par soufrage, sulfatage, etc. Pour amortir ces frais nouveaux, il faut produire davantage. Partout, la qualité disparaît jusqu'à ce qu'intervienne la réglementation, dont tout le monde aujourd'hui reconnaît le bon sens et l'utilité; elle fixe avec précision et sévérité les normes à respecter. Cette réglementation, en revalorisant le vin de qualité, a permis de le sauver et d'orienter les recherches vers sa production: les vignerons d'aujourd'hui s'efforcent de satisfaire une demande toujours plus grande et plus exigeante. Le vigneron du XXe siècle est un technicien qui aime son métier: grâce aux fongicides, herbicides, insecticides, engrais chimiques, il est moins dépendant des facteurs extérieurs. Grâce aux progrès de la science œnologique, il maîtrise les différentes étapes de la vinification. Grâce aux connaisseurs en vin de plus en plus nombreux, il s'astreint à une grande rigueur sur la qualité, et il a droit en retour à leur reconnaissance et à leur fidélité, avec en plus le légitime orgueil d'avoir créé une œuvre bonne et utile.

Le travail de la vigne et du vigneron

Avant d'aborder le mariage du vin avec nos plats, il faut dire quelques mots de sa lente gestation, dans le ventre noir des tonneaux, au creux profond des caves, dans l'ombre et le silence. Avant l'heureux avènement de ce breuvage brillant et coloré, qui va du pourpre somptueux au rouge rutilant, de l'éclat du vieil or au jaune pâle à reflets verts, que de soins et de soucis, de science et de patience. Avant ce chatoiement plein de promesses (qui échauffe les cœurs et fait tourner les têtes!), combien a-t-il fallu de travail et de temps? Il faut, de plus, connaître les bonnes fées qui parrainent cette naissance, et savoir éviter qu'elles ne se transforment en mauvais génies!

Terroirs et cépages

Sur plus de trente espèces de vignes, une seule donne un raisin apte à faire du vin. C'est une plante têtue, dont les racines atteignent parfois dix mètres de profondeur, et qui ne commence à produire qu'au bout de quatre années.

Un sol caillouteux, d'apparence aride et pauvre, lui plaît bien davantage qu'une terre riche; le sous-sol doit contenir des minéraux tels que le cuivre, le fer, le manganèse, etc., et il doit être bien drainé. Le climat joue également un rôle capital: le soleil et la pluie doivent être au rendez-vous, et encore, au jour dit! Huit jours de pluie en septembre peuvent perdre la récolte, mais un été brûlant doit être agrémenté de quelques bonnes averses. Un froid trop rude l'hiver fera des ravages, comme les gelées tardives, un mois de juin pluvieux, un orage de grêle, ou une chaleur excessive. Le raisin ne mûrit pas, mûrit trop tôt, pas assez, atteint sa perfection mais moisit sous une pluie intempestive: le suspense est garanti jusqu'à la vendange. On a bien sûr tenté de remédier à tant d'incertitudes: par le traitement des sols et leur irrigation, en plantant sur les coteaux qui bénéficient d'un meilleur ensoleillement, en choisissant le moment de la taille des pousses, et en sélectionnant le cépage qui s'adaptera le mieux à la spécificité du sol et du climat tout en donnant la meilleure qualité: à cinquante kilomètres de distance, un même cépage donnera un grand vin ou un honnête pinard.

Vers 1865 arriva en France un pou térébrant qui acquit rapidement une sinistre renommée. Le phylloxéra (c'est de lui qu'il s'agit), en suçant la sève de la vigne, proliféra si bien qu'il faillit la faire disparaître de la surface du globe. On découvrit alors que les vignes américaines lui résistaient mieux, et que les variétés françaises pouvaient s'y greffer. Nous avons maintenant de nombreux cépages, dont les principaux sont les suivants.

● *Le pinot*: noir, il nous offre le bourgogne rouge, et le meilleur; blanc, le bourgogne blanc; pinot noir et pinot blanc sont aussi parmi les cépages employés pour la fabrication du champagne; gris, on le nomme également tokay d'Alsace, mais il s'emploie dans d'autres régions (Provence).

● *Le cabernet*: le plus répandu est le cabernet sauvignon, qu'on retrouve dans les vins de Graves et du Médoc pour le Bordelais, ainsi qu'en Anjou; le cabernet franc règne dans la vallée de la Loire (bourgueil, chinon) et pour les bordeaux rouges.

● *Le merlot*: entre également dans la composition des bordeaux, ainsi que le malbec.

● *Le gamay*: "déloyal" en Côte d'Or, il réussit en Beaujolais.

● *Le syrah*: employé dans la vallée du Rhône car il lui faut beaucoup de soleil, il donne leur robe foncée et leur riche arôme aux vins rouges de l'Hermitage et aux meilleurs côtes-du-rhône.

● *Le grenache*: très sucré, il donne beaucoup d'alcool, et on l'emploie dans le Roussillon, le Midi et les Côtes du Rhône, en particulier pour le châteauneuf-du-pape pour lequel on harmonise les diverses qualités de plusieurs cépages.

● *Le mourvèdre*: pour les côtes-de-provence, et encore le carignan, le poursault, le muscardin, le cinsault, et combien d'autres, tout cela rien que pour les vins rouges... Du côté des vins blancs, le chardonnay est le cépage le plus noble; on le trouve en Bourgogne, en Champagne, en Touraine, dans le Jura. Il s'appelle selon les régions melon blanc, beaunois ou aubaine, ce qui en dit long!

● *Le sauvignon*: également de grande qualité, il est présent à Bordeaux pour les blancs secs comme pour les sauternes, mais aussi dans la Loire à Sancerre et à Pouilly.

● *Le sémillon*: il est aussi utilisé pour le sauternes et les autres grands vins blancs du Bordelais.

● *Le chenin blanc*: on le trouve en Touraine pour le vouvray et dans l'Anjou.

● *Le muscadet*: est-il à présenter? Le vin qui porte son nom est suffisamment connu.

● *Le gros-plant*: il donne également son nom à un vin; il est plus rustique que le muscadet.

● *L'aligoté*: le bourgogne aligoté ne fait pas partie des meilleurs, mais en le buvant jeune on ne fait pas une si mauvaise affaire.

● *La clairette*: cépage du Languedoc, et du sud de la France en général.

● *Le muscat*: variété très sucrée, qui donne l'apéritif du même nom, des vins doux et des vins secs. On ne fait pas que le boire, c'est un raisin de table courant.

● *Les cépages alsaciens*: les plus connus sont le riesling, le traminer et le gewurstraminer, le tokay déjà cité sous le nom de pinot gris, et enfin, un peu moins distingué mais plus répandu, le sylvaner.

Le travail de la vigne

La vigne a des racines profondes, un tronc noueux, des branches tordues, des vrilles qui, autrefois, quand la vigne poussait dans les forêts, s'accrochaient jusqu'au sommet des arbres (au point d'emprisonner les rossignols, en s'entortillant autour de leurs pattes; voilà pourquoi, d'après Colette, ils chantent toute la nuit); et aussi des sarments, pousses de plus d'un an, des gourmands (ce mot évocateur désigne les surgeons). Elle est opiniâtre mais fragile; tout au long de l'année, il faut en prendre soin. Pendant l'hiver, on la taille, on y prélève les boutures des ceps à venir; au printemps, on laboure, on nettoie, on prépare éventuellement le palissage (mise en place des piquets et fils de fer qui soutiendront les vignes); comme les gelées sont dangereuses, on installe des poêles, et on chauffe... On désherbe et on traite contre les maladies. En juin, la vigne fleurit (pourvu qu'il ne pleuve pas...); on lie les sarments, et on traite à nouveau; on arrache les mauvaises herbes; pendant l'été, on continue le désherbage, on traite encore, on retaille les pousses inutiles pour concentrer l'énergie dans la grappe. En automne, il faut savoir attendre que le raisin soit gorgé de sucre; en septembre, en octobre, on "entre en vendanges"; ensuite, il reste à fumer la terre, labourer, remonter la terre ravinée par les pluies jusqu'en haut du coteau, sous le vent froid de novembre (c'était paraît-il jadis les femmes qui s'en chargeaient, comme elles dépierraient les champs...) et recommencer un nouveau cycle... En parallèle, s'effectue le travail autour du vin.

La vinification

La fermentation est la transformation en alcool du sucre contenu dans le raisin sous l'action d'enzymes provenant des levures qui se trouvent à l'état naturel dans la peau du raisin. C'est un phénomène naturel, mais l'homme a appris à le maîtriser, en se fondant d'abord sur l'expérience, puis sur les progrès scientifiques, grâce auxquels aujourd'hui il y a beaucoup moins de mauvais vins qu'autrefois.

Lorsque l'alcool atteint un certain pourcentage, il paralyse l'action de ces enzymes. Pour les vins secs, tout le sucre a été transformé, pour les doux, il en reste. Si on veut arrêter la fermentation, on ajoute de l'alcool, ou du soufre, ou on filtre le vin. D'un même raisin rouge, on peut ainsi avoir un vin doux, sec, rosé, rouge ou blanc car la couleur du vin dépend du temps pendant lequel on laisse fermenter ensemble le jus et la peau du raisin. Celle-ci donne la coloration mais le jus du raisin est pres-

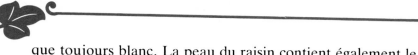

que toujours blanc. La peau du raisin contient également le tanin, et les vins rouges, pour lesquels les peaux fermentent plus longtemps avec le jus, en sont donc plus riches. Le tanin donne au vin stabilité et longévité mais d'abord un goût âpre, aussi veille-t-on à se débarrasser des queues des grappes et des pépins qui en contiennent beaucoup.

La fermentation a lieu en cuves. En Bourgogne, elle dure environ une semaine, en Bordelais, plutôt deux. Le moût est composé des peaux et de la pulpe qui flottent à la surface, et il faut le brasser régulièrement. La température à laquelle s'effectue la fermentation doit être attentivement surveillée, et la plus ou moins grande contenance des cuves est étudiée en fonction de la température souhaitable. Quand la fermentation est terminée, on soutire le vin, et on le met en tonneaux. C'est là qu'il va vieillir, plus ou moins longtemps suivant sa qualité. Dans le tonneau, le vin travaille, des échanges s'effectuent avec l'air extérieur, et surtout pendant l'été, il y a évaporation; il faut alors "ouiller", c'est-à-dire rajouter du vin pour que le tonneau reste plein. En mars, quand la sève monte dans les vignes, le vin subit une seconde fermentation, pendant laquelle il perd son excès d'acidité. On le soutire plusieurs fois pour le débarrasser de la lie, on le clarifie, ou on le filtre, et on le met en bouteilles. Les opérations de ouillage et de soutirage se répètent plusieurs fois pendant les un ou deux ans que le vin passe en tonneaux. Lorsque mère nature s'est montrée marâtre, on connaît plusieurs façons de s'y substituer: en ajoutant du sucre (chaptalisation) lorsque le soleil a fait défaut, afin que la fermentation s'effectue quand même. Le raisin doit contenir une certaine acidité. S'il en manque (trop de soleil) ou s'il en a trop, on peut le mélanger avec un vin présentant le défaut inverse, ou ajouter de l'acide tartrique. Pour débarrasser le vin d'un excès de bactéries, on lui ajoute de l'anhydride sulfureux. Si un vin sec conserve trop de sucre, on verse de l'acide sorbique. La seconde fermentation est nécessaire à certains vins, mais pas à tous, il faut donc être très attentif au taux d'acidité.

Les maladies du vin

On vient de voir que certains défauts peuvent être rattrapés, permettant ainsi un vin certes inférieur à celui des grandes années, mais cependant digne de ce nom. Parfois cependant, le mal est sans remède:
- la maladie de l'aigre: lorsque le vin a été trop exposé à l'air, il tourne en vinaigre;
- la tourne, la graisse: dues à des bactéries, le traitement consiste en une dose d'anhydride sulfureux, mais l'excès de soufre est aussi désastreux que le mal qu'il combat;
- la casse: le vin est trouble, il s'y forme un dépôt. On peut y remédier par divers procédés, mais le vin n'en sort pas indemne.

Les caves

Le vin mis en bouteilles va continuer son développement.

Selon son origine et ses qualités, il va mettre un certain nombre d'années pour atteindre sa maturité et sa plénitude. Le lieu où il est conservé a donc une grande importance:
- la cave doit être fraîche: 10 ou 11° représentent la meilleure température, mais il faut surtout éviter les écarts, ce qui veut dire une bonne isolation;
- elle doit être humide, et disposer d'une aération, mais on doit bannir les courants d'air;
- elle doit être calme: si le métro ou une machine quelconque la font vibrer, vous pouvez dire adieu à vos espoirs de bons vins. Même les vibrations dues au bruit sont néfastes;
- elle doit être sombre: le vin ne vieillit pas au grand jour, et elle ne doit pas renfermer de mauvaises odeurs: la cuve à mazout ira s'installer ailleurs;
- elle doit être propre: la poussière et les toiles d'araignées n'ajoutent rien à son mystère, et seront remplacées par un badigeonnage à la chaux.
- elle doit être bien rangée, afin de ne pas avoir à déplacer toutes les bouteilles avant de trouver celle qu'on est venu chercher, et pour être réapprovisionnée à temps.

Le vocabulaire du vin

Pour ne pas gâcher un bon vin, buvons-le en connaissance de cause et non pas distraitement en passant et en pensant à autre chose. Partageons ce doux breuvage: "fonneaux pleins de folie", "bouteilles pleines de rires", que de fêtes associées à l'idée du vin. Pour Alexandre Dumas, il était du repas la partie intellectuelle, et même spirituelle, les viandes assurant la partie matérielle. Le vin fait pétiller les langues et les esprits, égaie la table, brille dans les verres comme dans les têtes, et nous entraîne parfois plus loin que nous ne souhaitions aller! Mais le vin donne d'abord le plaisir immédiat de la vue, de l'odeur et du goût, et pour en parler ses serviteurs ont leur langage, plein de charme et de poésie. Pouvait-il en être autrement?

Pour décrire le personnage, on regarde d'abord sa robe, ou son habit. On commence par boire des yeux: est-il bien habillé, la robe est-elle brillante, limpide ou au contraire terne, passée, voire huileuse?

On s'approche un peu plus, on le hume, pour connaître le bouquet. Si le vin n'est pas à la bonne température, déception, on ne sent presque rien. Derrière le bouquet, si volatil, on respire l'arôme, le parfum du vin. Tous les fruits, toutes les fleurs, sont appelés à la rescousse pour tenter de le nommer: iris, violette, jacinthe, framboise, fraise, airelle, fougère, amande, odeurs végétales, de foin coupé, odeurs de cuir, d'épices (cannelle, girofle, vanille), odeurs de musc, d'ambre, de champignon (truffe), de sous-bois, de gibier. Le vin "a du nez", et vous avez la parole... Quant au vin qui sent le moisi ou le soufre, taisons-nous.

Enfin, goûtons-le: il peut être riche, charnu, corpulent, vigoureux, nerveux, tenace, viril, généreux, corsé, équilibré, ample, rond, charpenté, féminin également, souple, racé, élégant, délicat, moelleux, distingué, mordant. S'il n'est ni pâteux, ni mou, ni avare, ni mal bâti, revenons-y: il peut être grand seigneur, avoir du corps, de la jambe et du jarret, de la stature, de la finesse, du sérieux, du corsage, du cachet, être charmeur et même séducteur. Si le goût s'épanouit longuement dans la bouche, il fait la queue de paon, c'est "le petit Jésus en culottes de velours".

"Tout d'un coup on avait le pays dans la bouche. Et la vigne des Hauts,... et ses grives... et l'orée des forêts...": quand le vin nous tient sous son charme, on n'est pas en peine pour faire son éloge, et chacun est libre d'allonger cette liste, car elle est loin d'être exhaustive.

Pour être inspiré, il n'en faut pas moins rester modeste; savoir reconnaître, sans regarder l'étiquette, à quel vin on a affaire est une vraie gageure, même pour un éminent œnologue. Le goût, certes, se forme et s'éduque, il s'affine en se développant, mais le vin, produit conjugué de la vigne, du sol, du climat et de l'homme, renferme au bout du compte environ trois cents substances différentes.

Sans pour autant devenir expert, l'amateur de vins, au fil des ans et des rencontres, finira par acquérir une expérience de plus en plus nuancée et subtile qui se traduira par un plaisir plus grand et plus riche à chaque nouvelle bonne bouteille qu'il ouvrira. C'est alors, s'il a fait les économies qui s'imposent, qu'il pourra faire connaissance avec les plus grands vins du monde.

Comment et à qui acheter le vin?

Si vous n'avez pas de cave, il ne faut pas acheter de grandes quantités, et ce sera chez le marchand de vin que vous vous approvisionnerez chaque semaine. Il peut vous conseiller, mais la lecture des étiquettes vous rendra également service. Le vin qui affiche son degré d'alcool n'a rien d'autre à offrir: c'est un vin de table, issu "des différents pays de la Communauté Européenne" ou de coupages entre les vins d'une même région, mais de toute façon un produit composite. Il ne coûte pas cher, mais il ne procure pas de plaisir à la dégustation, et sa consommation est en baisse.

Un "vin de pays" indique la région dont il provient. Sa composition a été définie et vérifiée, il correspond donc à certaines normes qui lui garantissent un petit goût à lui. Les "V.D.Q.S." et "A.O.C." sont les deux catégories où se recrutent les bons vins et elles figurent en tête du chapitre intitulé "Comment choisir le vin".

Si vous avez une cave, vous pourrez diversifier vos achats et profiter à l'occasion de conditions intéressantes. L'achat en fûts est évidemment le plus intéressant, mais il sous-entend une grande cave et une consommation importante, afin d'avoir plusieurs fûts pour pouvoir varier les plaisirs. Il veut dire également un matériel spécialisé et le savoir œnologique indispensable pour mettre en bouteilles au bon moment. La solution de l'achat en fûts n'est donc pas la plus commode. L'achat en cubitainers est déconseillé pour les grands vins. Il doit être réservé aux vins moyens, sous réserve de les laisser séjourner le moins longtemps possible dans ce plastique qui ne leur vaut rien. Le prix d'une bouteille de 75 centilitres correspond à celui d'un litre du même vin acheté en cubitainers, et, à condition de ne pas boire la différence lors de la mise en bouteilles avec les amis venus vous aider lors de cette agréable occupation, vous réalisez une économie de 25%. Pour la mise en bouteilles, vous aurez prévu des bouchons de bonne qualité et les bouteilles seront naturellement parfaitement propres, lavées et égouttées par vos soins. Vous les remplirez de façon à laisser le moins d'espace possible entre le vin et le bouchon. Vous pouvez ensuite cacheter vos bouteilles à la cire, c'est facile à faire, et même si ce "cachet" n'en est pas un, il protège quand même le bouchon et aide à mieux conserver le vin.

L'achat en bouteilles est plus cher, mais si vous avez le bonheur de connaître des vignerons sérieux, et ils ne manquent pas, c'est la meilleure garantie d'avoir un vin mis en bouteilles au moment optimal de son évolution, ni trop tard ni trop tôt, ce qui donne l'assurance de le conserver dans de bonnes conditions. Il est préférable d'acheter par caisse, d'abord pour pouvoir suivre la maturation et le vieillissement, ce qui permet d'en avoir encore une réserve lorsque son moment de perfection est atteint, et ensuite pour bénéficier d'une éventuelle remise sur la quantité.

Une formule qui se développe est l'achat en primeur: vous versez un pourcentage à l'achat, mais le vin reste dans la propriété du vigneron qui le garde jusqu'à la mise en bouteilles un ou deux ans plus tard. Vous recevez alors votre vin, vous soldez votre dette, et vous mettez en cave un vin qui va vieillir et que vous aurez payé à un tarif intéressant.

Le contact humain est important dans l'achat du vin. Pour connaître des vignerons, vous pouvez commencer par vous rendre dans les foires et les expositions (il y a des foires commerciales annuelles dans toutes les grandes villes), et visiter les stands. Vous pouvez également acheter un guide des bonnes adresses (il s'en édite plusieurs chaque année), écrire et vous déplacer en profitant des vacances. Enfin, le bouche à oreille est un système qui marche aussi et celui qui s'intéresse au vin se constitue en quelques années un carnet d'adresses avec ses propres sélections. Pour l'achat dans des clubs ou des coopératives, il faut connaître le club ou la coopérative en question. Il en est de bons, mais vous perdez le contact avec le producteur principal, et c'est dommage.

La préparation du vin

On ne déballe pas devant les convives les légumes sortis pêle-mêle du panier du marché. Le vin exige de même quelques apprêts. Le soin que l'on a pris à confectionner le repas mérite que l'on fasse attention aussi au rituel du vin. Un vin bu trop frais ou au contraire trop chambré gâchera le repas autant qu'un rôti brûlé ou une sauce trop salée. Un vin qui ne serait pas, ou plus, dans sa meilleure année ne pourra donner le meilleur de lui-même et décevra vos invités. Comme le mets le plus raffiné et le plus délicat, le vin est le fruit de la vigne et d'un long travail. Il faut donc respecter jusqu'au bout quelques impératifs.

Les vins doivent être conservés dans une cave fraîche (10 ou 11° représentent la température idéale). L'amateur de vins sait ce qu'il possède dans sa cave. Toutefois, si elle est importante, un livre de cave l'aidera à tenir le compte de ses bouteilles, et à renouveler son stock. Il aura en plus l'avantage de lui permettre de choisir son vin sans avoir à en déplacer d'autre. Enfin, un livre de cave tenu à jour évite que l'on oublie certains vins, qui seraient ainsi bus trop vieux.

Il faut limiter au maximum les manipulations de la bouteille choisie: ne pas la tourner, la déposer dans un panier verseur. L'utilité de ce panier est manifeste pour les vieilles bouteilles qui sont restées couchées pendant des années: les redresser d'un coup leur porte tort, alors que les vins jeunes en souffriront peu. En effet, plus le vin est vieux, plus il est fragile.

Quand le vin est sorti de la cave, où le placer? Le vin est vivant, il se transforme d'année en année et de mois en mois dans un lent et complexe processus de maturation. Tout changement brutal dans sa vie est à bannir. Nous avons vu qu'il faut le manier

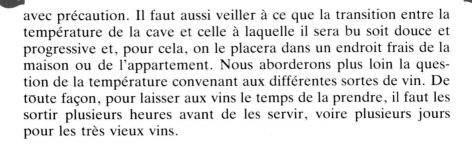

avec précaution. Il faut aussi veiller à ce que la transition entre la température de la cave et celle à laquelle il sera bu soit douce et progressive et, pour cela, on le placera dans un endroit frais de la maison ou de l'appartement. Nous aborderons plus loin la question de la température convenant aux différentes sortes de vin. De toute façon, pour laisser aux vins le temps de la prendre, il faut les sortir plusieurs heures avant de les servir, voire plusieurs jours pour les très vieux vins.

Le débouchage de la bouteille

Le vin respire à travers son bouchon. La fermeture métallique (et toxique à cause des oxydes de plomb) qui enveloppe aujourd'hui bien des bouteilles est à déplorer. Si vous avez mis vous-même votre vin en bouteille, vous aurez eu soin, comme on faisait autrefois, de la cacheter à la cire. Après ouverture, le vin va s'oxygéner et cela lui est nécessaire. Les vins rouges vieux se débouchent au minimum une heure avant de les boire, et d'autant plus longtemps à l'avance qu'ils sont plus vieux. Un vin rouge jeune, comme les vins blancs frais et les rosés le seront quelques minutes seulement, ou juste au moment de les servir. Notons que les trop vieilles bouteilles ne souffriront aucune attente: leur bouquet risquant de s'être complètement perdu, l'oxygénation ne le développera pas. Décalottez la bouteille (mais pas au ras de l'embouchure car le vin risquerait de prendre le goût de la capsule si elle est métallique), nettoyez le goulot. Le tire-bouchon bi-lame des vignerons n'est pas d'un usage très commode et demande en tout cas de l'habitude. Le tire-bouchon à vis sans fin doit avoir un pas de vis large et une lame plate et longue. Pour les vins mousseux, débarrassez le goulot de son enveloppe et de son fil de fer. Penchez la bouteille, poussez lentement le bouchon. Quand il commence à sortir tournez-le, comme pour le dévisser... et n'éborgnez personne!

La décantation

Elle est utile dans deux cas.
1. Si le vin a un dépôt, pour séparer le vin de ce dépôt. Seuls les vieux vins rouges, et principalement les vieux bordeaux, présentent cet inconvénient. Comment procéder: déboucher la bouteille, mise depuis quelques heures déjà dans une pièce pas

Saumon aux lentilles

Pour 4 personnes: *300 g de lentilles - 4 pavés de saumon frais (env. 150 g) - 1 gros bouquet garni - 1 cuillerée à soupe de persil plat - sel - poivre*

La veille au soir, faire tremper les lentilles dans l'eau froide. Le lendemain, rincer les lentilles. Les faire cuire à l'autocuiseur environ 1/4 d'heure avec une partie du bouquet garni. Pocher les pavés de saumon dans de l'eau frémissante avec le bouquet garni restant pendant 10 minutes. Egoutter les lentilles. Rectifier l'assaisonnement avec le sel et le poivre. Verser dans des assiettes. Disposer dessus les pavés de saumon. Ciseler le persil et décorer les assiettes. Servir aussitôt.

Vin conseillé: un bourgogne un peu corsé

Fondue savoyarde

Pour 4 personnes: *250 g de beaufort - 250 g de gruyère suisse - 250 g de comté - 12 cl de vin blanc pétillant de Savoie - 1 cuillerée à soupe de kirsch (facultatif) - 1 gousse d'ail - 1 pain de campagne un peu rassis, coupé en morceaux*

Râper les trois fromages. Frotter un caquelon d'ail. Verser les fromages et porter sur le feu, en remuant sans cesse avec une cuiller en bois. Ajouter le vin blanc pétillant. Mélanger jusqu'à ce que le fromage et le vin forment un mélange homogène. On peut aussi ajouter le kirsch pour donner plus de goût à la fondue. Présenter à table sur un réchaud. Faire tremper les morceaux de pain dans le fromage fondu.

Vin conseillé: un petit vin rouge de Savoie

Bœuf bourguignon

Pour 4 personnes: *800 g de morceaux de bœuf, type "bourguignon" - 200 g de lardons fumés - 75 cl de vin rouge - 2 cuillerées à soupe de farine - 1 botte d'oignons frais - 1 gousse d'ail - 2 cuillerées à soupe d'huile - 50 g de beurre - 1 bouquet garni - sel - poivre*

La veille, préparer la marinade. Dans une grande jatte, mélanger la viande avec le vin rouge, l'huile, le bouquet garni et la gousse d'ail. Couvrir et mettre au réfrigérateur. Le lendemain, dans une cocotte, faire fondre le beurre. Egoutter la viande. Faire dorer les morceaux de bourguignon à feu vif. Réserver. Recommencer l'opération avec les lardons. Placer à nouveau la viande dans la cocotte. Saupoudrer de farine et mouiller petit à petit avec la marinade. Ajouter les petits oignons frais nettoyés. Saler et poivrer. Couvrir. Mettre au four (thermostat 5) environ 3 heures. Remuer de temps en temps. Servir avec des pâtes fraîches ou des pommes de terre cuites à la vapeur.

Vin conseillé: un saint-saturnin

Tournedos sauce au vin

Pour 4 personnes: *4 tournedos de 150-180 g - 3 oignons - 2 cuillerées à soupe de saint-joseph - 10 cl de fond de veau - 1/2 cuillerée à café de concentré de tomate - 30 g de beurre - 1 cuillerée à soupe d'huile de tournesol - sel - poivre*

Emincer les oignons. Les hacher menu. Poêler légèrement les tournedos sur les deux faces, à feu vif, dans l'huile et le beurre. Réserver au chaud. Jeter dans la poêle les oignons, les faire revenir et blondir. Mouiller avec le vin et le fond de veau. Faire réduire. Ajouter le concentré de tomate. Saler et poivrer si nécessaire. Passer la sauce au chinois. Sur des assiettes chauffées, disposer les tournedos et napper de sauce. Servir sans attendre.

Vin conseillé: un saint-joseph ou un vin de Médoc

trop chauffée, en la remuant le moins possible pour ne pas agiter le dépôt. Prendre une carafe en verre incolore, qui permettra d'admirer la couleur du vin. Si cette carafe est de forme longiligne, le vin y coulera plus uniformément. Incliner la bouteille et la carafe choisie, transvaser le plus doucement possible le vin le long du verre, sans le brasser. Certains introduisent même une aiguille à tricoter non métallique, pour éviter tout choc au vin qui suit ce fil conducteur, mais cela demande une dextérité certaine. Afin de surveiller le dépôt, on place derrière le goulot de la bouteille une ampoule électrique (la bougie, plus folklorique, éclaire moins bien). On arrête la décantation lorsque les premiers dépôts arrivent.

2. La décantation oxygène le vin et donc elle développe son arôme. Nous avons vu que surtout les vieux vins rouges nécessitent cette précaution. Si le vin n'a pas été débouché assez longtemps à l'avance, la décantation y palliera. Le vin décanté doit être bu aussitôt, sous peine de perdre son bouquet. Un principe fondamental demeure: plus un vin est limpide, plus il est stable. Par conséquent, il aura d'autant moins de possibilités d'acquérir grâce et distinction. Nous avons donc à choisir entre un vin limpide qui peut manquer de charme et un vin nuancé, subtil, qui peut avoir un léger dépôt. Faut-il décanter? Les très grands vins y gagneront encore en bouquet. L'usage du panier verseur, qui favorise les échanges entre l'air et le vin car la bouteille couchée offre une plus grande surface de liquide à l'air, suffira aux moins grands. Mais le panier verseur doit être manié avec douceur, pour que les dépôts en suspension ne finissent pas dans les verres. Enfin, les vins trop vieux ne doivent pas être décantés, car ce qui leur reste encore d'arôme s'envolerait sans retour pendant l'opération. En hommage tardif, on leur pardonnera leur dépôt... . Mais la décantation peut être pratiquée dans certains autres cas pour remédier si c'est possible à certains défauts du vin. Le vin n'est que le jus fermenté du raisin, mais cette fermentation passe par une chaîne extrêmement compliquée de processus chimiques. Les progrès de la science œnologique ont permis de comprendre et d'expliquer des pratiques ancestrales des vignerons, et en même temps de mieux maîtriser ces pratiques en les contrôlant de façon de plus en plus fine. Ainsi, depuis l'Antiquité, on faisait brûler dans les barriques des mèches de soufre. L'action de l'anhydride sulfureux est aseptisante et antiseptique. Elle est utile et même indispensable, mais il n'en faut ni trop ni trop peu. La vinification n'est pas la même pour les vins rouges ou

les vins blancs, les vins doux et les vins secs. Certains vins blancs, plutôt doux, ont parfois gardé trop de cet anhydride sulfureux, dont l'odeur est suffocante, et sentent le soufre. On peut essayer d'y pallier en décantant le vin, et même en le transvasant plusieurs fois avant de le remettre dans sa bouteille. Après ce traitement énergique, le vin a besoin de reposer pendant vingt ou trente minutes avant d'être bu.

Les vins rouges et les vins blancs passent généralement par deux fermentations. Si cette seconde fermentation a lieu trop tard, une fois le vin mis en bouteilles, et c'est surtout le cas des vins rouges jeunes qu'on a mis trop tôt en bouteilles, le vin devient un peu mousseux, et il a un goût piquant. Ce désagrément est dû à un excès de gaz carbonique; ici encore la décantation peut arranger les choses, si toutefois le défaut n'est pas trop accentué. S'il est très léger, le simple fait de tourner le vin dans le verre avant de le boire suffit à l'éliminer. Quelquefois, le vin a le goût de bouchon. Après décantation, si ce goût persiste, il n'y a plus qu'à ouvrir une autre bouteille.

Vin blanc de la Loire

Bourgogne

Bordeaux

Vin blanc d'Alsace

Champagne

Cognac

Vin rouge léger

Verre à eau

Le verre

Si l'on a pris jusqu'ici tant de soin pour que le bouquet du vin s'épanouisse au maximum, ce n'est pas pour le boire debout à un coin de table dans un verre à moutarde. Chaque région de grand vin a créé sa bouteille et son verre de dégustation, car un vin se reconnaît d'abord à l'odeur. Pour un repas d'apparat, on utilise autant de verres que de vins. Pour un repas plus simple, un seul verre peut suffire. Ce sera un verre à pied, approximativement de la forme d'une tulipe, avec une partie ventrue pour contenir le vin et des bords qui se rapprochent légèrement en haut pour la concentration du bouquet. Le verre à bordeaux rouge dessiné ci-dessus suit cette description. On le remplit au tiers ou à la moitié, on le change ou on le lave à chaque nouveau vin, et on lui adjoint un verre à eau, destiné à la soif, car un bon vin se déguste. On hume le vin avant de le boire, mais on admire aussi sa robe; un verre teinté en détruirait la transparence et la luminosité; une nappe blanche, par contre, en rehaussera l'éclat.

La température des vins

La température à laquelle sera bu le vin est d'une grande importance, car c'est elle qui permettra au bouquet du vin de se dégager. Un grand vin rouge bu glacé ou au contraire un muscadet bu tiède rateront leur effet autant qu'un soufflé qui n'a pas monté ou qu'une volaille mal cuite qui saigne encore à l'os. Se priver par négligence de l'arôme d'un bon vin, c'est trop dommage, et c'est pourquoi il faut se préoccuper de remonter plusieurs heures à l'avance, ou même la veille, le vin de la cave.

La température de dégustation n'est pas la même pour tous les vins, entre blancs et rouges, et même pour les blancs ou les rouges entre eux. Ceci vient du fait que les vins sont plus ou moins solides, plus ou moins légers, et que les effluves aromatiques sont ainsi plus ou moins volatils. On utilise des cépages différents, les rouges et les blancs ne sont pas faits de la même manière, il est donc normal de leur appliquer des traitements particuliers.

Les vins blancs se boivent entre 6 et 12°, mais rappelez-vous que plus le vin blanc est doux, plus il doit être bu frais. En effet, le froid est nécessaire à l'équilibre d'un grand vin doux comme par exemple le sauternes. On le placera donc une heure ou deux dans la porte du réfrigérateur ou mieux dans un seau à glace rempli d'eau froide et de glaçons. Dans ce cas, trente minutes suffisent. Si vous n'avez pas de seau à glace, la soupière ou un grand compotier conviennent tout aussi bien, à condition d'y incliner la bouteille pour que le vin situé en haut, et qu'on boira le premier, se refroidisse également. Le sauternes (ou tout autre vin blanc doux), servi glacé, se réchauffe dans le verre au fur et à mesure qu'on le savoure, et donne alors toute sa richesse. Les vins mis à rafraîchir dans le seau à glace sont dits "frappés". Le champagne est généralement servi frappé, mais il ne doit pas être bu trop froid (sauf pour les champagnes doux de moins en moins appréciés aujourd'hui), c'est-à-dire dans une fourchette allant de six à neuf degrés. Les champagnes vieux et millésimés se servent à la température de la cave (10 ou 11 degrés). Les autres vins mousseux se boivent plus froids que le champagne, entre quatre et six degrés. Le vouvray champagnisé, de bonne qualité surtout dans les grandes années, se boira à la température du champagne. Les vins blancs secs doivent être bus frais, et non pas froids, ni surtout glacés. Une bonne température se situe entre 6 et 11 degrés. Un froid excessif masque une partie du goût. Même des vins blancs secs mais moelleux comme le meursault ou le corton-charlemagne peuvent atteindre 13 à 14°. A l'inverse, les vins d'Alsace, le gros-plant, l'entre-deux-mers se boivent plus près de 6° que de 11.

Les vins jaunes du Jura, le célèbre château-chalon, seront légèrement chambrés (environ 12 degrés).

Les vins rosés se servent à peu près comme les vins blancs, entre 7 et 10 degrés.

Les vins rouges jeunes et légers se boivent frais. Plus un vin est jeune, plus il se boit frais. Pour les vins de primeur (beaujolais, côtes-de-provence, chinon), entre 9 et 11 degrés.
Les vins d'un peu plus longue garde (grands crus du Beaujolais, vins rouges de Loire) se servent vers 11 ou 12 degrés.

Les côtes du rhône sont bus à une température un peu supérieure, de douze degrés pour le châteauneuf-du-pape à 14 ou 16 degrés.

Les bourgognes, plus volatils, moins tanniques que les bordeaux, se boivent avec deux ou trois degrés de moins. La température dépend également de l'âge du vin, et du cru: un bourgogne jeune sera bien mieux apprécié s'il est un peu plus frais que celui d'une grande et vieille année. La température idéale est entre 13 et 16 degrés.

Les bordeaux sont les vins qui demandent la température la plus élevée: de 16 à 18 degrés.
Il est plus facile de refroidir un vin que de le réchauffer. Chambrer un vin demande du temps. L'opération doit être pro-

gressive. Une cuisine surchauffée par la préparation du repas n'est pas le bon endroit. Si la température du vin dépasse 18 degrés, on risque de le déséquilibrer, de dénaturer son goût, de perdre son bouquet.

Ces quelques indications ne sont pas des impératifs. La température d'un vin est aussi affaire de goût, de mode et de saison: en été, on a tendance à boire plus frais que pendant l'hiver. Cependant, le vin impose ses limites: s'il est trop froid, les esters volatils qu'il contient ne peuvent se libérer et dégager son bouquet. S'il est trop chaud, ils le dénaturent, l'odeur de l'alcool prend le dessus et détruit les autres. Le goût également perd sa richesse. En règle générale, les vins jeunes se boivent plus frais que les vieux, les vin liquoreux, sucrés, doivent être rafraîchis, sinon on sentirait trop le goût de sucre, les grands crus plus chambrés que les crus plus ordinaires, à l'intérieur de la fourchette retenue pour leur catégorie.

Comment rafraîchir ou réchauffer le vin

Le lecteur peut déduire de tout ce qui précède que les méthodes rapides sont à rejeter. Utiliser le réfrigérateur ne veut pas dire placer les bouteilles dans le freezer. Mieux vaut les plonger dans un seau à glace rempli d'eau du robinet dans laquelle vous ajouterez des glaçons (pour en avoir beaucoup, on peut faire congeler un sac en plastique rempli d'eau, mais là encore, il faut s'y prendre en temps utile).

Inversement, pas de bouteilles livrées à l'eau bouillante, c'est un assassinat du vin qu'elles contiennent. Il ne faut pas davantage mettre votre vin à côté d'un radiateur, mais seulement avoir de la prévoyance et de la patience: placez votre vin dans une pièce fraîche (le mot "chambrer" vient bien de "chambre", mais si nous avons 20 degrés ou plus dans les nôtres, ce n'était pas le cas avant l'apparition du chauffage central) et attendez tout simplement quelques heures.

Si le vin n'a pas la température désirée, et on s'en aperçoit généralement trop tard en constatant que la fin de la bouteille est bien meilleure que le premier verre, faites réchauffer votre vin dans le verre, en le tenant dans la main et le faisant un peu tourner: il va prendre un ou deux degrés supplémentaires.

Quelle année choisir

Le vin se bonifie en vieillissant, mais tous les vins ne vieillissent pas. Certains vins sont bus dès qu'ils sont faits, pour leur verdeur et leur fruité; si on les laissait vieillir, ils n'auraient plus que des défauts. Les vins qu'on boit jeunes sont les primeurs, bien sûr, dont le beaujolais est le plus connu, et également de nombreux rosés, rouges légers et vins blancs. Mais les grands vins blancs, certains rosés et de nombreux vins rouges non seulement peuvent, mais doivent attendre. Ils restent plus longtemps en tonneaux, et même en bouteilles leur évolution continue. Selon le temps qu'il aura fait avant qu'ils soient récoltés, selon le terroir, et selon la façon dont le vigneron les aura vinifiés, ces vins se bonifieront plus ou moins vite. Les grands vins ne sont pas mauvais quand ils sont bus jeunes, loin de là. De plus, cela permet de suivre leur évolution et de vérifier s'ils tiennent toutes leurs promesses, quand on leur laisse le temps d'acquérir leur plénitude et d'épanouir leur personnalité et leurs caractéristiques. Il faut donc en avoir plusieurs bouteilles. Ici intervient la température de la cave, car le vin vieillira plus vite si la cave n'est pas très fraîche. Surveillez votre vin, il serait trop bête de laisser passer le bon moment.

Buvez donc de préférence le vin au moment de sa plénitude, en sachant qu'un vin d'une mauvaise année peut être bon, mais qu'il se conservera moins longtemps que celui d'une bonne année (si les vins des mauvaises années peuvent maintenant être appréciés, c'est grâce aux progrès de la vinification). Les grandes appellations mettent plus longtemps à atteindre leur apogée (surtout les bordeaux, plus riches en tanin que les bourgognes, et de ce fait plus longs à perdre la dureté que le tanin confère).

Classification rapide

Les vins blancs et les rosés (sauf quelques tavel) se consomment en général assez rapidement (dans l'année, au maximum dans les deux ans). Seuls quelques grands crus de Bourgogne et de Bordeaux méritent d'attendre trois à six ans. Ceci, pour les vins blancs secs. Les vins blancs doux ou mousseux de la Loire, dans les bonnes années, peuvent se garder dix ans. Les grands vins "doux" de Bordeaux (sauternes), les blancs liquoreux, se gardent dix ans et plus. Tous les mousseux (sauf ceux qui viennent d'être cités), ainsi que le champagne (sauf les champagnes millésimés) se boivent rapidement.

Les vins jaunes du Jura sont à l'échelle d'une vie humaine: ils se gardent des décennies.

En vins rouges, les vins de primeur (beaujolais, chinon) et les vins dits "de pays" se boivent dans l'année. Les vins des régions Languedoc, Roussillon, attendent davantage, mais guère plus de deux ans. Certains vins de Provence se gardent de trois à cinq ans.

Les grands crus du Beaujolais vieillissent quatre ou cinq ans. Les vins rouges de Loire, les vins de Bergerac, de Madiran, de Cahors, les vins de la vallée du Rhône se mettent en cave deux ans au minimum, davantage dans les grandes années. Les grands crus de Bourgogne se boivent entre quatre et quinze ans, les grands crus de Bordeaux entre cinq et vingt.

En conclusion, reconnaissons le principe qu'un vin qui est bon quand il est jeune ne se garde pas longtemps, en sachant que ce principe admet de nombreuses exceptions avec des vins qu'on déguste dès les premiers mois, et qui savent rester très agréables encore cinq ans plus tard. Enfin, plus un vin met longtemps à se faire, plus il conserve longtemps la plénitude acquise: votre patience sera récompensée!

Remarque: le climat n'est jamais le même pour toutes les régions de France. Si la récolte comble toutes les attentes ici, elle peut être là, désastreuse. Quand on parle d'une bonne année, il faut donc préciser pour quel vin, d'autant qu'il y de nombreux microclimats qui peuvent sauver un vin quand celui du voisin est perdu. Acheter un vin en fonction uniquement de l'année n'est donc pas un signe suffisant de garantie, mais c'est l'un des indicateurs utiles. Si les vendanges ont été faites un peu trop tôt, ou un peu trop tard, si la vinification a été mal conduite, on n'atteint pas les sommets espérés.

Le fait d'avoir plusieurs bouteilles du même vin permet de suivre son évolution, et ainsi de les boire au meilleur moment.

Ordre du service des vins

Pour bien prévoir le nombre de bouteilles, on estime qu'une bouteille contient environ six verres de vin (chaque verre étant rempli entre la moitié et les deux tiers car le vin doit exhaler son parfum et c'est la partie ventrue du verre qui le permet le mieux; comme on fait tourner le vin dans le verre pour connaître ses qualités, voir comment il coule, etc, le vin doit donc y être à l'aise). On compte environ une demi-bouteille par personne, mais tout dépend de l'ambiance du repas, et des convives.

Quant au nombre des vins, là encore, tout dépend de l'importance du repas. La règle la plus importante à suivre est la suivante: un vin ne doit pas faire regretter celui auquel il succède. Il faut donc, si on ne boit que des grands vins, les choisir très différents. A moins que le repas ne débute par un plat qui exige un grand vin (foie gras par exemple), on va du vin le plus jeune et le moins corsé au vin plus ample et plus généreux.

Evolution des goûts dans l'alimentation

Les Romains aimaient déguster les cervelles de rossignol, les laitances de murène, les filets d'autruche aux dattes, les tortues grillées dans leur écaille et autres raretés qui paraissent de nos jours moyennement appétissantes, même pour les amateurs de sensations inconnues. Le vin qu'ils buvaient pour faire passer tout cela ne ressemblait pas non plus au vin que nous buvons, mais ils l'appréciaient tout autant. Ils le conservaient dans de grandes amphores, l'additionnaient parfois d'un peu d'eau de mer, pour en rehausser le goût, le coupaient d'eau, et même d'eau chaude car le vin pur enivre trop vite. Le vin pouvait être parfumé à l'aide de diverses épices, il pouvait contenir du miel, et on aimait également un certain goût de poix ou de goudron qu'on a du mal à imaginer aujourd'hui. Outre l'eau de mer, le miel et la poix, on y mêlait des herbes, de l'aloès, des cendres, du plâtre même, mais ici le domaine de la fraude interfère peut-être. On aimait les vins fumés. La cuisson à la fumée épaissit les vins, et leur donne l'apparence et le goût du vin vieux. Toutes ces modifications sont des secrets de fabrication jalousement gardés. Ces vins à consistance épaisse étaient délayés avec l'eau dans des cratères, qui étaient de grand vases faits de métal précieux ou richement décorés.

La cuisine du Moyen Age est encore loin de ressembler à la nôtre. Elle nous paraît même extravagante, tant par les produits qui sont consommés que par leur préparation et leur présentation. Il s'agit bien sûr de la cuisine de l'aristocratie. Le Français pauvre de l'époque, lui, faisait son ordinaire de bouillies et de soupes peu variées d'un bout à l'autre de l'année, bien content déjà d'avoir quelque chose pour se remplir le ventre, car les famines étaient fréquentes. Mais les festins du Moyen Age sont spectaculaires.

Les princes et les rois qui les organisent entendent ainsi montrer leur puissance. Des sonneries de trompettes annoncent le début des festivités, les spectateurs se pressent de partout pour voir et admirer l'importance des invités, le luxe des habits, l'abondance des plats. Les chroniqueurs rapportent que pour un banquet de cent personnes, il y eut cinq cents plats différents, que lors d'un banquet de six cents plats, à cause du problème posé par le service, on construisit des escaliers extérieurs et on servit pas les fenêtres, car l'embouteillage des gens qui apportaient et remportaient les plats aux portes aurait été trop grand. Le repas lui même était accompagné d'un spectacle: pour un mariage, on représenta un accouchement! Le spectacle pouvait reprendre une scène de la vie politique, une bataille, etc.

Le mobilier se compose, pour la table, de planches posées sur des tréteaux. Il n'y a qu'une écuelle pour deux, on n'a pas chacun son verre. Pas de fourchettes, on se sert dans le plat avec sa cuillère. Pas d'assiettes, on a devant soi une tranche de pain rassis, évidée, et qui sert de récipient pour les aliments. On peut la manger si on veut quand on a fini, mais les restes sont distribués à l'assistance, et cette "assiette" appelée "tranchoir" trouve toujours un amateur. Le buffet est, dans la pièce, le meuble où sont exposés les objets de luxe. Il est le lieu du service du vin et de l'eau. Lorsque l'un des dîneurs désire boire, il appelle un page, lui indique dans quelles proportions il faut effectuer le mélange de vin et d'eau, car il est toujours malséant et incorrect de boire du vin pur, et il reçoit dans un gobelet ce qu'il a demandé. En revanche, il n'est pas mal élevé de tremper son pain dans son vin à condition de finir le contenu de son gobelet, ou de jeter par terre ce que l'on ne veut plus. On rend aussitôt au page le gobelet vide, car il va servir au buveur suivant. Les femmes sont rarement admises à table, mais elles assistent au repas en regardant d'une galerie. Elles peuvent ainsi profiter au moins de la représentation et ce n'est pas rien, car le repas est un régal pour les yeux: c'est en effet l'impact visuel qui est recherché en premier. Pour la cuisson, elle n'est pas raffinée: tout a bouilli ensemble dans une grande marmite, viandes, légumes et poissons confondus, mais on utilise largement les colorants, pour les effets de couleur, l'or et l'argent étant au nombre de ces colorants. Les plats sont présentés comme des tableaux, avec parfois des animaux vivants et des lâchers d'oiseaux. Les bêtes sont présentées dans leur fourrure ou leur plumage pour les oiseaux, et c'est la première raison de la consommation des paons, des cygnes, des hérons, des cigognes, des pélicans, des aigrettes, de tous ces oiseaux éminemment décoratifs,

mais dont la chair n'est pas fameuse puisqu'on les a bannis des livres de cuisine depuis qu'on ne pense plus que ce qui est beau est nécessairement savoureux. Les jours maigres prescrits par la religion sont scrupuleusement respectés, et on remplace ces jours-là la viande par le poisson. La baleine se mange, sa chair rouge rappelle, tout du moins par la couleur, celle de la viande, le dauphin également. On se contenta ensuite de la langue, le reste étant considéré comme trop dur. Les esturgeons et les saumons se trouvaient en abondance dans tous les fleuves. Dans les banquets moins riches on mange de tout, jeunes chiens, renards, ânons, corneilles, couleuvres, pies et chouettes, belettes, grives, fauvettes, rien n'est trop petit ou trop fort et si c'est un peu dur, on fait bouillir longuement avant une seconde cuisson. Les repas étaient surtout carnés et les légumes peu abondants; on terminait par un dessert composé de quelques fruits, de vin sucré et épicé, mais pas systématiquement (le mot est de la même famille que desservir). Les fourchettes furent d'abord considérées comme un excès de luxe. Elles donnèrent à leurs premiers utilisateurs (royaux) les mêmes difficultés que les baguettes chinoises aux Occidentaux. Comme leur usage se répandit à l'époque des fraises de dentelle blanche empesée qu'on portait autour du cou, elles exigeaient une habileté sans défaut! Malgré tout la fourchette s'impose: on ne met plus les doigts dans les plats et il n'est plus admis de s'essuyer les doigts sur son pain, ni de transformer sa serviette de lin damassé en torchon de cuisine en y essuyant des mains grasses de sauce.

L'indroduction des assiettes en faïence pour remplacer la croûte de pain va permettre de fabriquer des sauces moins épaisses, les liaisons se feront moins à la farine, et davantage au beurre ou aux œufs. Les premiers livres de cuisine sont d'abord très vagues: "Prenez la viande qu'il vous plaira, porc, veau ou lièvre ou autres", "Faites une sauce comme vous voudrez", sans indication non plus de mesure ou de temps de cuisson. Mais le fait que les cuisiniers ne soient plus analphabètes marque l'évolution de la profession. Le matériel de cuisine va aussi se diversifier, se spécialiser: une riche maison possède un arsenal bien plus important que celui que nous avons à notre disposition: il va de l'alambic pour la distillation, aux meules à écraser le chocolat, en passant par tout les moules, marmites, chaudrons, poêles, bassines, broches, lèchefrites, pots à bec, saladiers, caquelons avec pour sources de chaleur la cheminée, le four de briques, les "potagers" pour mitonner et garder au chaud sur des braises. On devient de plus en plus attentif au goût de ce qu'on mange, on demande à un bon cuisinier de l'invention, du raffinement. La cuisine devient un art, et la cuisine française la première d'Europe aux alentours du XVIIe siècle; on trouve dans les préfaces des livres de cuisine des affirmations comme: "Je n'ai dans ce volume rien oublié du meilleur et du plus agréable que nos Français accommodent, laissant aux étrangers beaucoup de ragoûts dépravés... "; ou: "On peut se vanter en France de l'emporter en cuisine sur les autres nations, comme on le fait en politesse et en mille autres avantages assez connus". Les cuisiniers français vont servir les maîtres les plus illustres en Angleterre et ailleurs, et dépensent pour la table des sommes énormes. La nourriture est désormais un sujet digne de littérature. Les écoles s'opposent pour savoir si la meilleure cuisine est celle qui conserve aux aliments leur saveur ou celle qui les métamorphose en un mets méconnaissable. La nouvelle cuisine d'aujourd'hui, qui se vante de rendre aux aliments leur saveur originelle, n'est pas la première du genre. Nombreuses sont les nouvelles cuisines qui se sont succédé dans l'histoire. La nouvelle cuisine du XVIIIe siècle s'enorgueillissait quant à elle d'être capable de donner au poisson le goût de la viande et inversement. Le langage s'affine également: les culs d'artichaut sont devenus cœurs et on ne sert plus de "veau en crotte d'âne"!

Si bécasses, ortolans et foie gras (de Strasbourg) ont remplacé les paons au menu des festins, le vin a subi également l'évolution des goûts. On peut encore, au XVIIe siècle, ajouter à sa "bonté" du jus de framboises, de l'eau-de-vie, des peaux d'oranges séchées, de la cannelle ou des clous de girofle, mais cela ressemble à la fabrication de l'hypocras qui n'est pas une boisson d'accompagnement des plats (prendre du vin vieux, y ajouter du sucre, un bâton de cannelle, faire infuser sur les cendres chaudes. On peut y mettre en plus des amandes douces, du gingembre, du poivre, de la girofle, du coriandre, du musc ou de l'ambre gris, de l'anis et du fenouil).

Les vins blancs légers de la région parisienne se boivent désormais purs. On sert plusieurs sortes de vins différents, puisqu'on a tant de choix à sa disposition. Le vin plus fort des régions au sud de Paris est d'abord coupé d'eau car il monte plus vite à la tête, ou servi avec de la neige qu'on conserve tassée dans des caves bien isolées. Sous François Ier, il était encore servi chaud: soit on y versait de l'eau chaude, soit on mettait le vin près du feu, soit on plongeait dans son hanap de vin une lame de métal chauffée à blanc, soit on y jetait des braises. Cent ans plus tard, on rafraîchit le vin en été en le descendant dans le puits: la médecine n'affirme plus que boire le vin trop frais entraîne des maladies incurables.

Les médecins ont beaucoup écrit sur le vin. Il a longtemps été considéré comme un remède: il fortifie les enfants, ranime les convalescents, soutient les vieillards. Le vin parisien convient aux gens de lettres et à ceux qui n'effectuent pas de travaux de force. Le vin de la Côte de Nuits est prescrit comme médicament à Louis XIV, qui n'a pas dû s'en plaindre! Comme le vin rouge ressemble au sang, il n'en faut pas plus pour faire dire qu'il est l'aliment par excellence pour reconstituer le sang. Le vin blanc par contre le clarifie s'il est jugé trop épais. Les vins noirs doivent être bus par les personnes qui effectuent un travail physique pénible, ils engendrent un sang épais et mélancolique, et les personnes de constitution fragile et d'esprit vif ne pourraient les supporter et risqueraient d'en avoir le foie obstrué. Pour ces gens "spirituels", du vin blanc qui "incise les humeurs crasses" purge les reins et engendre un sang "subtil". Les médecins ne sont pas à l'abri des modes: le vin de Gascogne dessèche, les vins de Bourgogne donnent la goutte et des maux d'estomac si l'on est champenois. D'une manière générale, aux XVIe et XVIIe siècles, on donnait la préférence aux vins clairs, couleur de rubis ou "œil de perdrix", c'est-à-dire d'un rouge pâle, et les vins naturellement plus sombres subissaient les modifications de vinification nécessaires à l'obtention de ce résultat. Quand les propriétaires de la région parisienne abandonneront leurs vignes à des vignerons "ignorants ou fripons" et que la qualité des vins sera perdue, les vins plus forts des autres régions seront adoptés.

Le vin est indispensable: le roi se fait suivre à la chasse par un "coureur de vin". Certains aliments considérés comme difficiles à digérer, le melon par exemple, doivent être pris en début de repas et obligatoirement consommés avec du vin. L'habitude nous en est restée. Erasme, au XVIe siècle, ajoutait à son bourgogne du jus de réglisse et s'en servait pour soigner sa gravelle. Il n'était pas un gastronome. La Pompadour trouve que le champagne est le seul vin qui ne l'enlaidisse pas quand elle en a trop bu. Le vin paraît sur toutes les tables modestes ou somptueuses, chez soi ou à la taverne (à ses risques et périls, certains taverniers sont des "pestes publiques" et ne reculent devant aucun expédient pour s'enrichir davantage: la vieille bière se vend avec une écume faite en mousse de savon, le vin est additionné d'alcool et d'eau). Les "tables d'hôte" sont des auberges dans lesquelles tous s'asseyent à la même table. Les plats sont déposés au centre, les habitués occupent les meilleures places et se servent en premier les meilleurs morceaux. Dans les cafés, même méfiance: les malheureux viennent s'y chauffer pour économiser leur bois, les oisifs y bavardent,

les artistes s'y rencontrent, mais le café est brûlé, les liqueurs malsaines, la limonade dangereuse. Cependant, le Parisien "boit tout, dévore tout, avale tout"!... La falsification et le prix du vin (dû aux lourdes taxes de l'Etat) obligent l'homme de la rue à recourir à l'eau-de-vie. Les "tabagies" sont des lieux sordides où l'on fume et s'enivre.

Le régent va remplacer le faste des banquets de Versailles par des soupers intimes. Dans cet esprit vont naître les premiers restaurants qui vont se dévolopper au XIXe siècle. Le cadre y est luxueux, on y choisit à la carte, on n'est pas censé y apporter son couteau, le couvert est fourni et la cuisine soignée. Et avec Carême, Gouffé, Grimod de la Reynière et son *Almanach des gourmands*, Alexandre Dumas et son *Grand Dictionnaire de cuisine*, Brillat-Savarin et sa *Physiologie du goût*, plus tard Curnonski, baptisé "prince des gastronomes", on assiste à la naissance de la littérature gourmande. Cette gourmandise s'accompagne d'un solide coup de fourchette: une douzaine d'alouettes ne vaut qu'en fin de repas, en guise de cure-dents. Alexandre Dumas distingue trois sortes d'appétit: celui qu'on a en se mettant à table, celui du milieu du repas, qui est venu en mangeant, et celui enfin, qui apparaît quand on n'a plus faim, avec le dessert! Cet homme incapable de s'arrêter et capable de se faire crever d'indigestion (il y avait des concours du plus gros mangeur) est gourmet, certes, mais doublé, à nos yeux que dessille la diététique, d'un glouton et d'un goinfre.

Il y a les restaurants "où l'on dîne" et ceux "où l'on mange", une cuisine parisienne raffinée et savante et une cuisine régionale savoureuse et méprisée qui n'attendent que le XXe siècle pour se réconcilier et profiter des apports que chacune peut faire à l'autre.

Quant aux vins, si en 1789 le voyageur anglais Young trouve que "les navets du Norfolk, les carottes du Suffolk, les choux d'un gentilhomme anglais ne sont pas aussi bien tenus que les vignes de France" et que "l'économie de cette plante est parfaitement bien entendue en théorie comme en pratique", ils subissent une telle dépréciation de la qualité qu'il faudra la crise du phylloxéra, qui va réorganiser complètement le vignoble, les travaux de Pasteur sur les maladies de la vigne et leur traitement, ceux sur la chaptalisation, les études modernes sur le vin et l'élévation de la qualité de notre niveau de vie pour qu'ils reprennent la place de choix qu'ils n'auraient jamais dû abandonner.

Marions-les!

AVERTISSEMENT:
LES MARIAGES CONTRE NATURE

Pas de vin avec les hors-d'œuvre, avec les salades, avec tous les plats relevés d'une sauce vinaigrette. Pas de vin avec votre salade de crabes Acapulco, à cause du citron qu'elle contient, pas de vin avec les fruits frais acides comme les pamplemousses, les ananas, pas de vin avec le poulet sauté au vinaigre, car le citron et le vinaigre "tuent le vin" par leur trop grande acidité. Pour la même raison, les plats trop relevés, très épicés, pimentés, ont un goût trop fort pour qu'un vin puisse y résister. Pour les plats africains, sud-américains, antillais, du moyen ou de l'extrême-orient, buvez ce qu'on boit traditionnellement dans ces pays avec ces recettes: le rosé et la cuisine chinoise, ce n'est pas une réussite! Il existe toutes sortes de thés, d'innombrables alcools régionaux, et leur mariage avec le plat concerné vous paraîtra évident une fois essayé.

D'autre part, un verre d'eau ne saurait rompre le ballet d'un repas bien orchestré, et pour apaiser une grande soif, il faut le préférer au vin que l'on réserve à un plaisir plus subtil. Buvez un peu d'eau à chaque changement de vin, vous apprécierez mieux le suivant.

Ne fumez pas. Le tabac dénature les vins, surtout les rouges, et sa fumée escamote tous les fumets, arômes, senteurs, bouquets qui s'élèvent des verres et des assiettes.

Les hors-d'œuvre et les entrées

"L'appétit vient en mangeant" (et la soif s'en va en buvant, cher Rabelais!). Dans un repas, les plats se suivent dans un ordre qui n'est pas indifférent: on recherche l'équilibre et la variété. Pour les vins aussi, on observe une progression. On dit généralement que les vins légers doivent venir en premier, mais si l'on débute par un foie gras, il est dommage de ne pas lui adjoindre un vin digne de lui. Le vin modifie le goût du plat et, inversement, on recommande de ne pas croquer de noix lors d'une visite de cave: elles flattent par trop le goût du vin. Si vous faites un plat unique, essayez de l'accompagner de vins différents (mais non choisis au hasard), vous risquez d'être surpris des résultats; au contraire, gardez le même vin pour la viande et le fromage par exemple: son goût en sera modifié.

A qualité égale, les vins doivent être suffisamment différents entre eux pour que l'on ne regrette pas celui que l'on vient de finir.

Dans ce chapitre, nous éliminerons d'emblée tous les hors-d'œuvre assaisonnés de vinaigrette, puisqu'ils s'accompagnent d'une carafe d'eau, et ne nous intéresserons qu'à ceux avec lesquels on peut boire du vin.

Les potages

Les potages aux herbes, à l'oseille, au cerfeuil, au cresson, aux épinards, aux asperges, aux carottes, aux champignons, aux petits pois sont des plats légers mais un peu acides: il ne s'accordent donc pas très bien avec le vin. Par ailleurs, étant liquides, ils n'incitent guère à boire. Ils peuvent être servis avec des vins rouges légers, des "petits" vins de pays, qui pour être "petits" savent être authentiques, et sont d'un prix modique: côtes-de-Bergerac, côte-de-Duras, sans prétentions, mais agréables, coteaux de l'Ardèche, du Tarn, du Libron, des gorges de l'Hérault, etc., ce ne sont pas les vins de pays qui nous font défaut, et vous avez peut-être, au détour d'une route de vacances, appris à en découvrir quelques-uns.

Les soupes

Les soupes aux choux, aux pois cassés, aux marrons, à l'oignon, les coulis de lentilles ou de haricots sont des plats plus corsés. On choisira pour eux des vins un peu plus amples: les corbières (vins délimités de qualité supérieure) légers, mais aromatiques, d'un bon rapport qualité-prix, vins de pays de l'Hérault, souples, fruités, vins de Provence (et pas seulement les rosés, car les rouges sont plus parfumés), les beaujolais (mais attention aux primeurs trop souvent mal faits, qui se vendent plus grâce à la publicité qui leur est faite que par leurs qualités vinicoles), les vins de Touraine comme le chinon, frais et vigoureux.

Les soupes au vin

Chaque province a la sienne, toutes les cuisines régionales et paysannes la pratiquent. En Touraine, c'est le "miot": on ajoute à un vin rouge local, bourgueil ou chinon une quantité égale d'eau froide sucrée, on verse le tout sur de minces tranches de pain qui peuvent être revenues au beurre, et on la savoure les chaudes soirées d'été. Dans l'Aveyron, on fait "chabrot", c'est-à-dire qu'on rajoute à une épaisse soupe de légumes une quantité, plus ou moins grande selon les goûts, de vin de Marcillac ou d'un autre vin du sud-ouest. Dans le Poitou, c'est le "migé". On emploie naturellement dans chaque cas le vin local.

Les œufs

En eux-mêmes, les œufs n'exaltent pas le goût du vin. Mais quelle diversité dans les recettes à base d'œufs! Tout dépendra donc de la façon dont ils seront accommodés.

• Avec les œufs brouillés, les œufs cocotte (ou œufs à la crème), les œufs farcis au maigre, les omelettes au naturel, les œufs frits en sauce beurre noir, aux croûtons, les croquettes d'œufs, les omelettes au fromage, aux champignons, aux pointes d'asperges: des vins blanc légers comme l'anjou blanc sec, le vouvray demi-sec, un chablis sec et léger, un muscadet jeune et frais.

• Avec les œufs vert-pré, les œufs en gelée, les omelettes aux pommes de terre, à l'ail, les œufs au vin comme les œufs matelote ou les œufs sauce meurette (sauce bourguignonne), il faut employer des vins rouges: un beaujolais-village, souple, net, fruité, ou un médoc. Donnons quelques détails sur ce médoc, car ce nom est une dénomination qui recouvre une large palette de vins: des premiers crus comme le château-Lafite-Rothschild, le château-margaux, des vins presque aussi prestigieux comme le mouton-Rothschild, le clos-d'estournel, plus de cinquante crus sans compter toutes les communes bénéficiant de l'appellation "Médoc" ou "Haut Médoc", et qui donnent un vin dont la réputation n'est plus à faire. Pour une entrée simple, comme les recettes énumérées ci-dessus, ne prenez pas un premier cru, une appellation "Médoc", vin généreux, solide et léger en même temps, vous donnera toute satisfaction.

• Avec les omelettes aux cèpes, aux truffes ou avec les œufs à la coque et aux truffes (enfermez l'œuf et la truffe ensemble dans une boîte hermétique vingt-quatre heures: la coquille de l'œuf est poreuse, le parfum de la truffe va la pénétrer et se communiquer à l'œuf. Vous pourrez ensuite parsemer l'œuf à la coque de petits morceaux de truffe, ou réserver vos truffes à un autre usage). Pour ces champignons si savoureux, choisissez un grand vin rouge: un médoc encore, mais cette fois d'un grand cru, un pomerol, les châteaux de grande réputation ne manquent pas et leurs vins ont un goût de truffe, un chambertin (mais son prix, hélas...), un cahors au prix plus abordable, dense et parfumé.

La charcuterie

● Les jambons crus, jambons cuits et jambons fumés: on dit parfois qu'ils s'accordent mal avec le vin, qu'il soit blanc ou rouge. Ceci vaut sans doute pour le jambon industriel, piqué de saumure pour être plus lourd, "fumé" aux produits chimiques, mais pas pour les jambons de pays, et les intéressés ne s'y trompent pas, ils ne boivent pas d'eau avec! Pour un jambon à l'os, cuisiné avec une sauce au vin blanc, prenez un sancerre, velouté et élégant, ou un autre vin du Nivernais comme le pouilly-fumé, avec un jambon de montagne des Pyrénées, un corbières fera très bien l'affaire.

● Les saucissons, les rillettes, les pâtés, les terrines. Autrefois, les gens avaient assez de mal à assurer leur pain ou leur soupe quotidiens pour nourrir encore un cochon, mais, depuis, le porc s'est répandu partout, et il n'est point de région qui ne propose ses cochonailles ou sa charcuterie de pays. On boira donc des vins locaux, blancs, rouges ou rosés: avec les saucissons, jésus, cervelas et rosettes de Lyon, du beaujolais, les gaillac, cabernet, sylvaner, légers et fruités, bordeaux jeune, beaujolais, côtes-du-Rhône, courbières, rouges et rosés de Provence, vins de Touraine (le vouvray sec et l'andouillette grillée sont faits l'un pour l'autre), vins de Vendée, de Corse, peu connus, qu'on boit frais et qui sont très désaltérants. Les buffets campagnards sont à la mode. On reçoit à ces occasions une nombreuse assemblée, il peut être intéressant d'acheter le vin en cubitainer directement au propriétaire. Vous aurez ainsi un vin plus "personnalisé" qu'en l'achetant en grande surface.

Le foie gras

Cest un plat de fête. On peut le servir chaud ou froid, en entrée ou au cours du repas. Le foie gras frais doit être très souple sans être élastique.

Il peut être servi froid en terrine, ou préparé entier en gelée (aspic de fois gras), ou pilé pour en faire une mousse, à laquelle on peut ajouter des truffes (les truffes sont facultatives. Souvent, dans les mousses de foie gras du commerce, la truffe n'apporte que bien peu de goût). Les foies gras peuvent être des foies d'oie ou de canard. Le prix élevé s'explique par le long et pénible travail du gavage: chaque jour, à raison de deux heures pour chaque bête, il faudra lui faire avaler des kilogrammes de maïs (des centaines au total) et ce pendant des mois, jusqu'à ce que l'animal soit atteint de cirrhose qui fera de son foie un délice pour tous les gourmets. La méthode peut sembler cruelle, mais est-elle pire que l'élevage des veaux en batterie, des poulets et des porcs industriels, ou que l'abattage des viandes de boucherie (sans parler de la tuerie des faisans, cailles, sangliers, élevés pour l'ouverture de la chasse, et qui ne craignent pas l'homme)?

Avec le foie gras en entrée, servez un grand blanc de Bourgogne comme un meursault riche et moelleux, au bouquet puissant et délicat en même temps, un corton-charlemagne, riche, fin, ample, un grand blanc de Bordeaux comme le sauternes, dont le prix élevé est dû à la vendange grains par grains (le raisin doit être atteint de la "pourriture noble", moisissure qui permet d'atteindre des taux d'alcool très élevés, mais qui ne s'attaque pas en même temps à toute la grappe. Il faut donc vendanger pendant des semaines, au risque de voir la gelée détruire tant de patience). Le sauternes est un vin liquoreux qui touche à la perfection. Le château-yquem, du domaine de Lur-Saluces, est le plus grand, mais un sauternes de la commune de Barsac comme le château-coutet, ou de Bommes, dont le château-latour-blanche est un premier cru classé, ne peuvent pas vous décevoir. Il n'est pas que la Bourgogne ou le Bordelais, avec un foie gras on pense aussi aux vins d'Alsace: le gewurztraminer comme le sauternes se vendange tard dans l'automne. Il est très parfumé, plein d'arôme, et vieillit très bien. Le tokay d'Alsace, corpulent, corsé, et tard vendangé est, lui aussi, un vin excellent. Nous n'oublierons pas le champagne, qui est de toutes les fêtes.

Dans un repas comme en faisaient nos aïeux, et nous n'en faisons presque plus, il y avait plusieurs entrées, le foie gras se servait souvent en cours de repas. Dans ce cas, s'il suit par exemple la viande, préférez un grand vin rouge de Bourgogne, un côte-de-Beaune comme le corton, un vieux côte-de-Nuits, ou un grand cru rouge de Bordeaux comme un vieux pomerol ou un saint-émilion. Un châteauneuf-du-pape, grand cru des Côtes du Rhône, avec les hermitage et les côte-rôtie au nom si évocateur, sont aussi des vins de toute beauté.

Les huîtres

On a l'habitude de les déguster crues avec un filet de citron ou de vinaigre, mais elles peuvent être cuites (huîtres au gratin, hure d'huîtres, huîtres chaudes aux blancs de poireaux etc). L'entre-deux-mers est parfait pour les huîtres, mais il n'y a pas que lui: les autres vins blancs secs, mais toutefois légers, conviennent aussi: chardonnay et sauvignon du haut Poitou, les vins de la Loire comme le gros-plant et le muscadet, le saumur blanc, à boire très frais, les vins blancs d'appellation "Savoie" comme le chignin, discrètement fruité, les vins d'Alsace comme le sylvaner ou le riesling, sec et nerveux, et qui peut être de très grande classe, les vins blancs du Mâconnais, le pouilly-fuissé par exemple, ou mieux un vin de l'Yonne comme le chablis.

Ces vins se boivent avec les huîtres crues. Pour les huîtres chaudes, on suivra les indications données pour les autres coquillages. En gastronomie comme partout, les goûts évoluent, et il y a même des modes. Certaines ne sont que des passades, d'autres s'installent. Qu'en est-il de l'habitude prise par certains aujourd'hui de renoncer au vin blanc avec les huîtres? En effet, d'après eux, le vin blanc et l'eau salée feraient mauvais ménage. En toute logique, ils préfèrent donc un vin rouge léger. Nous ne trancherons pas et vous laisserons faire vous-même, si le cœur vous en dit, cette expérience. Votre goût personnel est en définitive votre meilleure référence.

Les coquillages et les crustacés

Certains se mangent crus comme les huîtres: grosses moules d'Espagne, qu'il suffit de gratter et de laver, les coques à l'échalote, les clovisses. Pour les vins, ils seront les mêmes que pour les huîtres.

• *Les coquillages, crustacés et huîtres cuits*: moules marinières, coquilles Saint-Jacques au gratin, sauce Mornay, aux endives, œufs pochés aux moules (les œufs sont pochés trois minutes dans de l'eau frissonnante, les moules cuites au vin blanc, on leur ajoute de la crème fraîche et des petits légumes revenus au beurre, et on dispose le tout dans le plat de service, en servant très chaud).

Ces plats seront accompagnés d'entre-deux-mers, de sancerre. Pour les recettes utilisant du vin, on servira celui pris pour la cuisson ou pour la sauce, mais s'il s'agit d'un vin capable de vieillir, on prendra un bon millésime (il est inutile d'utiliser dans la cuisine un vin vieux, dont le bouquet ne résisterait pas aux hautes températures, mais il faut prendre un vin corsé. Pour un vin blanc, il ne doit pas brunir à la cuisson).

● *Les crustacés*: ce sont des produits de la mer très appréciés dont la chair est d'une grande finesse; il va sans dire qu'ils doivent être consommés très frais. Etant donné leur rareté, ce sont des produits de luxe. Quelques suggestions: homard Thermidor (crème fraîche, madère et fine champagne), homard à l'américaine (tomates, cerfeuil, échalotes, vin blanc, cognac), homard Cotentin (vin blanc, madère, cognac, truffe, huîtres), homard en salade (haricots verts, pointes d'asperges, estragon, armagnac), soufflé de langouste, homard aux truffes, langouste à la nage (persil et écrevisses), feuilletés de langoustines, gâteau de langoustines, écrevisses à la Nantua, feuilletés d'écrevisses: ces recettes sont onéreuses et font des repas de fête. On choisira donc pour les accompagner des vins de fête: s'il n'y a pas de vin blanc dans la sauce, un vin rouge puissant comme le châteauneuf-du-pape, un rosé comme le tavel, vin sec, chaleureux, et qui développe un arôme subtil, un rosé du Jura, au tempérament fougueux, et au bouquet délicieux, à boire légèrement chambré. Avec une sauce au vin blanc, un vin blanc (celui qui a servi à la sauce), par exemple un jurançon, vin liquoreux, équilibré, plein d'arômes, un bordeaux comme un vieux graves blanc, pour les bourgognes un chablis ou un montrachet (Puligny-Montrachet et Chassagne-Montrachet ont des grands crus tout simplement sublimes et des premiers crus fleuris, pleins de vigueur, dont on se souviendra longtemps). Vous pouvez aussi déguster et savourer avec votre homard un château-chalon: c'est un vin rare et surprenant qui ne se compare à aucun autre car son goût est exceptionnel. Son prix l'est aussi, mais vient de la vinification, très lente (six ans de fût de chêne avant que le vin ne puisse commencer à vieillir, mais il peut devenir centenaire et plus) et qui n'est pas sans risques. On ne produit de ce vin que de petites quantités, il est donc difficile à trouver mais mérite qu'on en boive au moins une fois dans sa vie. Parmi les vins d'Alsace, un riesling, racé et fin.

Les entrées chaudes

Nous avons déjà énuméré dans les précédents paragraphes bon nombre d'entrées chaudes, mais il en reste, et nous ne pourrons venir à bout de toutes.

● *Les escargots de Bourgogne*: escargots farcis, escargots aux croûtons, cassolettes d'escargots aux champignons, escargots en pots. Si vous avez une recette régionale, utilisez un vin de même origine géographique. Sinon, on peut boire soit un vin rouge corsé, soit un vin blanc comme le chablis, un vin du Mâconnais (pouilly-fuissé) ou un vin d'Alsace: le gewurztraminer, alcoolisé, bien charpenté, à la saveur épicée, peut tout à fait convenir.

● *Les grenouilles*: grenouilles au gratin, cuisses de grenouilles à la sauce poulette, grenouilles à la crème et au persil, grenouilles aux morilles, grenouilles sautées à la ciboulette.
C'est entre les mois de mai et de juillet que les grenouilles sont les meilleures. Leur chair est fine et délicate, et on l'accompagne habituellement d'un vin blanc: un sancerre blanc et frais, un muscadet, plus vif que le gros-plant, un vin blanc de Bandol, fruité et provençal, mais pourquoi pas un beaujolais-village avec des grenouilles sautées par exemple?

● *Les quiches*: quiches au poulet, au saumon, avec un rosé d'Anjou léger et un peu rugueux, un pouilly-fuissé ou un vin d'Alsace (sylvaner par exemple). Avec la quiche lorraine, un vin d'Alsace comme le pinot blanc, charpenté, plus corsé que le sylvaner ou même un riesling.

● *Les feuilletés*: feuilletés aux poireaux, aux champignons: accompagnez-les d'un blanc de Sancerre servi frais ou d'un vin de la Loire comme un montlouis ou un vouvray (le vouvray "réjouit les cœurs"!)

● *Les bouchées à la reine, les vols-au-vent*: les vins blancs de la côte de Beaune, équilibrés, vigoureux, les grands crus comme puligny-montrachet et chassagne, bien sûr, mais pas obligatoirement car les autres méritent aussi notre admiration et les appellations contrôlées, d'un meilleur rapport qualité/prix, accompagneront à merveille les entrées chaudes. Ne les servez pas glacés.

● *Les plats à base de gruyère*: les gnocchis, les soufflés au fromage, les salades de gruyère, les croque-monsieur: un sylvaner, léger, franc, développera la saveur du plat sans la contrarier, un chablis, riche, sec, parfumé, ou un pouilly-sur-Loire.

Les poissons

Œil vif, ventre clair, le poisson frais fait partie de tous les menus, qu'ils soient modestes ou luxueux. Si le poisson de rivière, succombant à la pollution de nos cours d'eau et au nombre de pêcheurs du dimanche, provient principalement d'élevages, il faut se réjouir qu'on puisse ainsi lui éviter de disparaître: même à Paris et dans les grandes villes, pourtant bien approvisionnées, pouvez-vous trouver de l'Omble chevalier? Quant au poisson de mer, il est pêché en si grandes quantités qu'il est grand temps d'instaurer quelques mesures de protection pour sa sauvegarde. Les bateaux du monde entier se disputent les zones de pêche, et nous en arriverons aussi un jour au merlan et au cabillaud d'élevage, sinon ils auront le destin échu au saumon par exemple, autrefois si courant dans toute la France que les paysans se plaignaient de devoir en manger trop souvent.

Depuis le thon, steack de la mer, jusqu'à l'humble goujon, les poissons offrent une grande variété, et on a su leur inventer mille et une recettes: poissons crus, cuits, frits ou en sauce, froids ou chauds; nous allons en inventorier quelques-unes parmi les plus répandues.

Le saumon fumé

C'est un plat relevé, il lui faut donc un vin capable de lui donner la réplique: on choisira par exemple un sauternes, de Sauternes ou de Barsac, un vin blanc de Bourgogne comme un nuits-saint-Georges ou, plus modestement, un côte-de-Nuits, ou en Alsace un riesling.

Les terrines de poisson

Terrine à la Guillaume Tell, terrine de poisson en gelée, aspic d'anguille, carpe en gelée, galantine de saumon, pain de lotte, truite en gelée; ces plats se préparent la veille et sont servis froids. Les vins d'accompagnement: un châteauneuf-du-pape blanc, un sancerre blanc, un vouvray d'une vieille année, un vin de Saumur comme, par exemple, un savennières, sec et bien fait, à boire très frais, un vin d'Alsace (le riesling, de grande classe).

Les poissons crus

Céviche de poisson (le poisson doit mariner douze heures dans du jus de citron agrémenté de petits oignons et de poivrons, puis est servi sur une feuille de laitue avec du pain de seigle beurré). Boire un vin blanc relevé. Avec un poisson mariné dans du vin rouge (sardines), on prendra le vin utilisé dans la marinade, de préférence assez corsé et puissant, par exemple un V.D.Q.S. de Provence.

Les poissons froids

Ils sont servis avec une sauce relevée: béarnaise, mayonnaise, sauce aux câpres, sauce aux anchois, sauce moutarde, sauce gribiche, sauce à la diable, ailloli (la morue à l'ailloli, plat simple et délicieux: on fait pocher la morue dessalée, on la laisse refroidir, on prépare un ailloli bien relevé, et on sert avec des rondelles de baguette grillées). On sert pour accompagner des vins blancs secs: médoc, gewurztraminer, dont la saveur épicée s'allie à une grande élégance, et la plupart des vins cités pour les crustacés: jurançon, bordeaux blanc, chablis, bourgogne blanc, mais ici un bourgogne aligoté peut suffire (cela dépend du poisson de la recette).

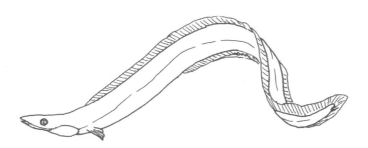

Les poissons chauds en sauce

Dans le cas d'une sauce au vin (brochetons au vin blanc, alose à la chartreuse, anguille au vin blanc, anguille matelote au vin rouge, lotte à l'américaine, rouget sauté aux tomates et au vin, soles normandes, thon à la casserole, filets de sole au vin rouge, saumon au vin blanc de Saumur, pot-au-feu du pêcheur, carpe au vieux cahors, truites au beaujolais, turbot en gratin, etc.), il faut employer le vin de la sauce; pour une sauce au vin blanc, le muscadet convient très bien, mais on peut aussi utiliser un chablis, un sancerre, un vin d'Alsace, le riesling, par exemple, se marie très bien aux poissons de mer comme aux poissons de rivière, un champagne même, certaines recettes l'utilisant. Pour une sauce au vin rouge, un rouge de Provence, la plupart du temps bien supérieur aux rosés, un corbières, un côte-de-Bergerac, vin assez corsé, un beaujolais avec des crus comme le saint-amour, au si joli nom, mais ce n'est pas un vin de garde, ou un brouilly à la robe très colorée, un cahors.

Quand la sauce ne comporte pas de vin: avec un beurre blanc, une sauce hollandaise, une sauce mousseline, un beurre maître d'hôtel, un beurre noir, un vin blanc sec ou moelleux comme le muscadet, le gros-plant léger, le vouvray, vin moelleux et même liquoreux, très fruité, et qui peut vieillir très longtemps (le vouvray 47 valait la peine qu'on en parle! mais il devient difficile d'en dénicher), un vin de Quincy, un saumur blanc ou un coteau-du-Layon, de la même région, mais plus moelleux, un bordeaux blanc de Graves ou de Sauternes.

Avec une sauce Cardinal, une sauce Nantua, utilisées avec des poissons comme la sole, le turbot, le bar, choisissez un vin blanc sec et de bonne garde: un meursault, un puligny-montrachet, un graves, un gewurztraminer pour les vins d'Alsace.

Quelques plats particuliers

La brandade de morue qui s'accompagne d'un bon rosé comme le tavel, d'un saint-émilion rouge, ou d'un blanc de Provence; la bouillabaisse ou la bourride provençale (moins connue que la bouillabaisse) est aussi une soupe de poissons à base de lotte, de daurade, de colin, d'anguille, de raie, à laquelle on incorpore de l'ailloli.

Ces plats sont si typiquement marseillais qu'on hésite à les savourer avec un autre vin qu'un vin de Provence. Il faut chercher un rosé bien fait, il sera agréable et fruité, mais attention car ces vins ont perdu beaucoup de leurs qualités pour satisfaire des vacanciers pas assez difficiles sur ce qu'on leur fait avaler. Un vin du Languedoc, région voisine, peut faire l'affaire, car il en existe dont la qualité est en constante amélioration, grâce à de nouveaux cépages et à une bonne technique de vinification.

Les animaux de basse-cour

Rentrent dans ce chapitre tous les animaux de basse-cour, du pigeon au lapin en passant par les poulets, coqs, canards et pintades. Depuis que le bon roi Henri souhaitait que les familles puissent mettre, chaque dimanche, une poule au pot, le succès de la formule ne s'est pas démenti. Cependant, il y a eu quelques changements dans l'élevage de ces animaux: fini ou presque le temps où les volailles gambadaient librement dans les champs qui bordent la ferme. Ces privilégiées sont réservées à l'alimentation de leurs propriétaires et les citadins se voient bien souvent proposer une bête qui n'a du poulet que le nom, et dont la chair triste, peu appétissante et sans goût pend lamentablement le long des os après la cuisson.

Lors de vos achats, consentez un investissement plus important et fuyez la volaille nourrie à la farine de poisson et aux déchets de toutes sortes, qui n'a jamais connu la lumière du soleil et a été consignée, sa pauvre vie durant, dans un espace de 30 centimètres carrés. Avec ces poulets-là, du vin en litre!

A l'autre bout de la chaîne, le chapon, coq châtré et engraissé, certes délicieux, mais ne justifiant peut-être pas son prix élevé. Entre ces deux extrêmes, on trouvera cependant largement de quoi réjouir son ventre et son palais, comme nous allons le voir avec les mets et les vins qui suivent.

Le poulet

● *Les poulets en sauce au vin blanc*: fricassée de poulet à l'ail, poulet au blanc, poulet en cocotte, poulet Marengo, fricassée de

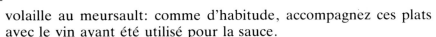

volaille au meursault: comme d'habitude, accompagnez ces plats avec le vin ayant été utilisé pour la sauce.

On choisira pour la table une bouteille plus riche, un vin plus goûteux que les vins servis au début du repas: un pinot gris d'Alsace, un bon cru de Chablis (un château-grenouille par exemple, mais une bonne partie de la production part en Angleterre), un vieux graves blanc sec.

- *Les poulets en sauce au vin rouge*: un vin rouge pas trop léger, comme pour la Touraine, un chinon âgé de quelques années, épanoui et riche en tanin, un cru du Beaujolais comme un morgon, robuste, plein de gaieté, ou un juliénas à la robe couleur de rubis, ou encore un vin de Cahors, ou un vin de Monthélie, village voisin de Volnay (côte-de-Beaune), ou encore un volnay, plus cher mais plus fin, conviennent parfaitement.

- *Les poulets rôtis*: choisissez un beaujolais, côte-de-brouilly, plus fort en alcool que le brouilly, un graves rouge, un haut-médoc, appellation d'origine contrôlée, qui donne d'excellents vins pleins de charme pour un prix très correct, un saint-émilion (sans aller chercher les grands crus comme le château-ausone ou le château-cheval-blanc, vous pouvez trouver parmi les simples appellations contrôlées un vin de caractère) ou un bourgogne de la côte-de-Nuits comme le fixin: ce n'est pas un grand cru, mais les vins peuvent être remarquables. En Sauternais, on boit du sauternes avec le poulet rôti, ailleurs, on réserve le sauternes à d'autres occasions. C'est le signe qu'en matière de vins il n'y a pas de règles immuables.

Œufs coque truffés

Pour 4 personnes: *4 gros œufs extra-frais - 1 truffe de 40 g - sel - poivre*

Il existe une version plus rustique du mariage de l'œuf et de la truffe que celle de la brouillade: les œufs coque truffés.

La veille, mettre dans une boîte hermétique la truffe et les œufs pour que le parfum de la truffe pénètre les parois poreuses des œufs. Dans une casserole d'eau froide, disposer les 4 œufs. Porter à ébullition, en comptant 3 minutes. Poser les œufs dans des coquetiers. Etêter les œufs. Peler la truffe. Recueillir les copeaux et les répartir sur les 4 œufs. Saler, poivrer. Cette recette toute simple est grandement améliorée si on prend également la peine de frotter des mouillettes de pain avec un morceau de truffe.

Vin conseillé: un pomerol

Ecrevisses à la nage

Pour 4 personnes: *1 kg d'écrevisses - 1 piment - 1 carotte - 1 oignon piqué de clous de girofle - 1 côte de céleri - 1 poivron rouge - 1 gousse d'ail - 1 bouquet garni - 20 g de beurre - sel - poivre*

Laver les légumes. Les éplucher et les couper en julienne. Les faire blondir dans le beurre dans un grand faitout. Mouiller avec 2 l d'eau, le bouquet garni, le sel et le poivre. Amener à ébullition. Jeter les écrevisses vivantes. Laisser cuire à demi-couvert environ 1/2 heure. Egoutter les écrevisses. Faire réduire le bouillon. Le passer au chinois. Servir les écrevisses avec le consommé refroidi.

Vin conseillé: un chardonnay

Gelée de fruits de saison

Pour 4 personnes: *1 livre de pêches blanches - 2 poires - 250 g de fraises des bois - 250 g de framboises - 2 paquets de "jelly", parfum framboise - 50 cl de brouilly - 200 g de sucre*

Pocher successivement les pêches non épluchées et les poires dans un sirop composé de sucre et de brouilly. Laisser frémir environ 10 minutes. Egoutter. Laisser refroidir avant d'éplucher les fruits et de les couper en quartiers. Préparer la gelée de fruits, comme indiqué sur le paquet. Nettoyer fraises et framboises, sans les laver. Dans des petits moules à charlotte individuels, placer alternativement les quartiers de pêches et de poires le long des parois. Remplir avec les fraises et les framboises. Faire couler la gelée dans les moules. Placer plusieurs heures au réfrigérateur. Servir bien frais. A défaut de moules individuels, on peut utiliser un moule à savarin. L'effet sera tout aussi joli.

Vin conseillé: un brouilly

Raie aux câpres

Pour 4 personnes: *2 grosses ailes de raie - 3 l de court-bouillon - 150 g de câpres au vinaigre - 3 cuillerées à soupe de vinaigre balsamique - 100 g de beurre - sel - poivre*

Faire gratter les ailes de raie par le poissonnier. Mettre le court-bouillon sur le feu. Quand l'eau frémit, y déposer les ailes. Laisser frémir à découvert environ 1/4 d'heure. Laisser tiédir le poisson avant de l'égoutter. Dans une casserole, faire fondre le beurre. Juste avant qu'il brunisse, ajouter le vinaigre. Faire bouillir et réduire. Ajouter les câpres. Servir aussitôt les ailes recouvertes de sauce aux câpres.

Vin conseillé: un vouvray

Canette rôtie

Pour 4 personnes: *1 grosse canette - 50 g de beurre - 1 verre de vin blanc sec - sel - poivre*

Dans une cocotte, faire dorer dans le beurre une canette bien dodue sur toutes ses faces. Saler, poivrer. Faire cuire à découvert au four pendant 3/4 d'heure. Avant de servir, déglacer avec le vin blanc. Préférer toujours la canette au canard car sa viande est beaucoup plus tendre.

Vin conseillé: un pommard

Pintade aux pruneaux

Pour 4 personnes: *1 belle pintade fermière en morceaux - 200 g de pruneaux dénoyautés - 25 cl de bouillon de volaille - 1 oignon - 30 g de beurre - 1 cuillerée à soupe d'huile de tournesol - 15 cl de crème liquide - sel - poivre*

Faire revenir les morceaux de pintade dans une cocotte avec le beurre et l'huile. Saler, poivrer. Faire cuire environ 3/4 d'heure en mouillant de temps en temps avec le bouillon de volaille. Faire tremper les pruneaux dans un peu d'eau. Egoutter. Les disposer autour de la pintade 10 minutes avant la fin de la cuisson. Déglacer le jus avec la crème liquide. Servir éventuellement la pintade accompagnée de brocolis cuits à la vapeur. Cette recette peut être proposée avec des morilles en remplacement des pruneaux, mais le mariage du fruit et de la chair de la pintade est savoureux.

Vin conseillé: un chinon

Poule au pot

Pour 4 personnes: *1 belle poule - 4 poireaux - 1 botte de carottes - 1/2 céleri-rave - 1 botte de petits navets - 1 oignon piqué de clous de girofle - 30 g de beurre - 30 g de farine - sel - poivre*

Laver et éplucher les légumes. Dans un grand faitout rempli d'eau froide, mettre la poule et l'oignon. Porter à ébullition. Ecumer. Saler, poivrer. Laisser cuire à demi-couvert environ 1 heure. Puis ajouter les carottes, les poireaux et enfin le céleri et les navets. Faire cuire encore 3/4 d'heure. Egoutter la viande et les légumes. Préparer un roux. Mouiller avec un peu de bouillon de cuisson et faire une sauce blanche. Disposer les morceaux de volaille dans les assiettes décorées avec les légumes. Napper de sauce.

Vin conseillé: un graves

Timbale de crudités

Pour 4 personnes: *1 poivron - 4 petites tomates fermes - 2 mini concombres - 4 feuilles de coriandre - 1 cuillerée à soupe d'huile d'olive - sel - poivre*

Laver, égoutter et sécher soigneusement tous les légumes. Les couper en tout petits dés et les laisser dégorger dans un peu de sel pendant 2 heures. Egoutter de nouveau. Mélanger les légumes avec l'huile d'olive. Saler, poivrer. Tasser dans 4 petits ramequins et réfrigérer pendant 2 heures. Servir avec un chèvre frais ou une terrine de poulet.

Vin conseillé: un sauvignon

Le lapin

Les recettes au vin se servent avec le vin utilisé dans la recette: soupe de lapin au sancerre, lapin sauté, fricassée de lapin, lapin en gibelotte. Les vins utilisés dans les recettes de poulet s'accorderont aussi avec le lapin.

● *Le rôti de lapin*: se reporter aux vins qui ont déjà été cités pour le poulet rôti.

● *Les ragoûts de lapin*: baron de lapin (le baron est l'arrière du lapin, soit les cuisses et le râble), civet de lapin; servez un beaujolais (juliénas, par exemple, ou un chenas, tannique, fruité, et au bouquet généreux) ou un côte-de-Beaune où on trouve des vins fermes et bouquetés.

Le canard

Le canard possède une viande riche. On lui préfère souvent la canette, plus tendre.

● *Les braisés*: canard braisé, canard aux oignons, aux navets, aux petits pois, aux olives: choisissez un vin rouge tannique comme un châteauneuf-du-pape ou un autre côtes-du-Rhône, un hermitage riche et dense ou un gigondas puissant et bien équilibré. Le visan, vieux vignoble moins connu est aussi très attirant. Le madiran, de la région des Pyrénées, est un vin rustique et corsé, qui peut vieillir sans problème quelques années. Avec le canard de Challans, un vin de Bordeaux, pomerol ou saint-émilion est une nécessité.

● *Les canards rôtis*: canette aux herbes, caneton à l'estragon, canard rôti: un bordeaux, médoc ou graves, ou un bourgogne, pommard par exemple, réputé dans le monde entier, mais dont le prix surprend désagréablement.

● *Le canard à l'orange*: ce plat mêle les saveurs salées et sucrées. Il lui faut un vin étonnant, comme, par exemple, un vin jaune du Jura, un champagne, ou un vin d'Alsace comme le gewurztraminer, qui peut aussi convenir au canard aux pêches et même au canard laqué, si vous en connaissez la recette compliquée, car le gewurztraminer a une saveur d'épices et beaucoup d'onctuosité.

Les oies et les dindes

Nous abordons les grosses volailles à chair blanche. La dinde, traditionnelle à Noël, accompagnée de marrons peut être remplacée à cette occasion par l'oie (c'est la coutume allemande), dont la chair savoureuse est moins sèche.

La prochaine fois, essayez une oie aux pommes (l'oie est farcie de pommes reinettes et rôtie au four; on dispose autour des quartiers de pommes qui s'imprègnent des sucs de l'oie et donnent une compote exquise). On servira pour ces festins de fin d'année un grand vin rouge corsé: pommard, nuits-saint-Georges, corton, vin riche et remarquable, ou aloxe-corton, nettement en dessous du premier cru mais la comparaison est difficile à soutenir car ce sont tout de même des vins très agréables, corsés et fermes, et qui acquièrent du moelleux en vieillissant. Pour les crus du Beaujolais, les grands crus, comme pour les côtes-du-Rhône, hermitage, côte-rôtie, châteauneuf-du-pape; pour les bordeaux, les pomerol, saint-émilion, côtes-de-fronsac, vins chaleureux dont il y a plus de mille crus différents des plus exceptionnels (ausone, cheval-blanc, petrus) à tous les autres, en sachant qu'on fait d'heureuses découvertes dans toutes les catégories.

● *Les confits d'oie (ou de canard)*: les quartiers d'oie sont longuement cuits dans leur graisse, en veillant toutefois à ce qu'ils restent un peu fermes, puis conservés à l'abri de cette graisse dans de vastes pots en grès. Dans les régions du sud-ouest, il n'y a encore pas si longtemps, on réchauffait un morceau de confit comme nous ouvrons une boîte de conserve pour un repas vite préparé, et le confit dans les fermes n'entraînait pas l'admiration qu'il soulève aujourd'hui dans les restaurants.

A boire avec le confit: un cahors, un côte-de-Bergerac rouge, un madiran, un vin des côtes du Frontunnais, des environs de Toulouse.

Le coq

● *Le coq au vin*: grosse volaille bien en chair, qui mijote dans son jus mouillé de vin de Bourgogne. On peut lui donner pour accompagnement un chambertin (étymologiquement le vin du champ de Bertin): il y en a neuf grands crus tous généreux, plusieurs premiers crus pleins et délicats, et tous les autres gevrey-chambertin, évidemment plus modestes, mais tout de même francs et solides.

Les pigeons et pintades

Leur chair est fine et savoureuse, la viande est rouge pour le pigeon, rosée pour la pintade.

● *Pigeonneaux aux aubergines, pigeons à la crapaudine, aux petits pois* (ou bien encore aux cœurs d'artichaut, aux champignons, farcis aux oignons, pintadeaux aux poireaux, pintade au lard fumé, aux choux, aux pistaches, aux haricots, aux raisins, pintadeau aux girolles, pigeons à la Richelieu, pintade à la diable): pour ces plats recherchés, sélectionnez des vins de grands crus: côte-de-Beaune, chambertin, côte-de-Nuits; pour les bourgognes, saint-émilion, pomerol, côte-de-bourg, pouillac (mais sans aller jusqu'aux lafite, latour ou mouton, premiers grands crus classés); pour les bordeaux, morgon morgonnant du Beaujolais, ou encore plus simplement un chinon, un cahors, ou un corbières charnu qui aura vieilli un peu avant d'être mis en bouteilles.

Les poulardes

Ce sont des poules jeunes qui n'ont pas encore pondu, et que l'on a engraissées.

● *Poularde à la Souvaroff, poularde à l'ancienne, poularde au champagne, aux cèpes*: des grands crus encore seront retenus: musigny, bonnes-mares, richebourg, au prix astronomique pour les grands crus mais les premiers crus sont plus abordables, grands châteaux-de-graves, comme le merveilleux château-haut-brion ou la mission-haut-brion, de Pomerol (château-lafleur), de saint-émilion (premier grand cru classé, grand cru classé, grand cru), ou du champagne, recommandé en tout cas pour les poulardes au champagne.

Les viandes

Les hygiénistes recommandent de ne pas dépasser cent grammes de viande par jour et par personne adulte. Si nous avons encore tendance à manger un peu trop de viande, que dire de nos ancêtres, comme en témoigne ce menu du XIXe siècle servi en l'année 1889 et cité par J.P. Aron dans un livre intitulé *le Mangeur au XIXe siècle:*

Potage à la Parisienne
Truites saumonées sauce Françoise
Filets de bœuf à la gelée
Galantines de poulardes truffées
Dindonneaux nouveaux rôtis
Pâtés Potel
Salade printannière
Soufflés glacés
Gâteaux des Iles
Babas au rhum

C'est tout un poème! Et quel appétit pour oser s'attaquer à pareille énumération de mets. Aujourd'hui nous avons davantage le souci de garder notre ligne et notre santé, ce qui ne nous empêche pas, tout de même, d'être gourmets et même gourmands à l'occasion.

Dans nos repas, les viandes constituent toujours le "plat de résistance", étant situées au milieu du repas. Elles se divisent en viandes rouges (bœuf, cheval, mouton) et en viandes blanches (veau, poulet) et nous commencerons ce chapitre par les plats à base de bœuf.

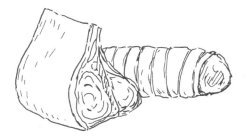

Le bœuf

On a tendance encore à le considérer comme le roi des viandes, celui dont la chair est la plus reconstituante et garante d'une bonne santé. Avec le bifteck et le rosbif, les Anglais ont mis à la mode des morceaux nouveaux, ce qui n'a pas empêché le gîte ou le collet, les joues et les queues de bœuf d'être toujours autant consommés dans les braisés et les ragoûts.

● *Le bœuf cuit à l'eau ou pot-au-feu*: choisissez un beaujolais-village, un bourgueil, un corbières, ou un bordeaux supérieur. Pour s'harmoniser au gros sel et aux fortes saveurs des légumes du pot-au-feu, il faut un vin assez puissant.

● *Le bœuf grillé*: bifteck, entrecôte au gril, châteaubriand: retenez un vin rouge comme un bordeaux de la côte de Bourg, vin assez simple dont on trouve cependant d'excellentes bouteilles de quelques années d'âge, ou un bordeaux de Fronsac, corsé et tannique, très authentique, ou bien un côtes-du-Rhône, comme un côte-rôtie, mais, sans aller jusqu'à ce grand cru, nombre de villages de cette région produisent un vin qui mériterait d'être mieux connu des amateurs.

● *Le bœuf sauté à la poêle*: biftecks à la provençale, biftecks aux oignons, tournedos sautés aux champignons, tournedos Rossini (avec truffes et tranches de foie gras dorées dont on recouvre le tournedos: le grand jeu!), filets mignons, entrecôte minute, steak au poivre, tournedos à la béarnaise, aux herbes, tournedos châtelaine: servez toujours des vins rouges qui, selon la complexité de la recette et les ingrédients qui la composent (voir tournedos Rossini), iront du bordeaux supérieur aux grands crus de pomerol, de saint-émilion ou de pommard. Entre les deux, il existe toute une gamme de bons vins rouges: appellations d'origine contrôlée du

Roussillon comme le fitou, charpenté et d'un bon degré en alcool, rouges du Minervois des zones montagneuses, car plus solides que les vins légers (mais bons) des vallées, madiran, vins rouges de Touraine (bourgueil, chinon), vins de Médoc ou de Graves pour les bordeaux.

● *Le bœuf rôti*: un détail concernant les pièces rôties que l'on ignore souvent: votre rôti sera meilleur si vous commencez la cuisson suffisamment à l'avance pour qu'il soit cuit un quart d'heure environ avant d'être apporté à table. Pendant ce quart d'heure, vous l'aurez laissé à l'entrée du four, à une température de quarante degrés maximum, enveloppé de papier aluminium. Cela permet aux sucs et au sang de se répandre partout à l'intérieur et d'y rester au lieu de s'écouler lors du découpage. La viande est ainsi plus savoureuse, mieux cuite, tout en restant saignante si vous l'aimez ainsi. Pour la sauce, il suffit de déglacer le plat de cuisson. Pour accompagner le rôti, utilisez un bon vin charnu et velouté comme les pomerol, savoureux, corpulent comme les saint-émilion, distingué comme les canon-fronsac, ou bien un grand cru des côtes-du-Rhône, un côte-rôtie, par exemple.

● *Le bœuf braisé*: le bœuf à braiser provient de la partie avant de l'animal, les pièces à rôtir venant de la partie arrière. Ces dernières, bien qu'étant les plus chères, sont les plus demandées. Les morceaux de la partie avant sont donc meilleur marché, alors que leur valeur nutritive est équivalente à celle des morceaux arrière, et que les préparations qu'on leur fait subir les rendent tendres et goûteux. Bien sûr, cela demande davantage de temps et dans nos sociétés modernes, il est difficile d'en trouver. Les recettes: bœuf à la mode, bœuf en chevreuil, côte de bœuf braisée; pour ces plats, où la pièce de viande a mariné dans un vin blanc ou rouge, choisissez comme vin de table celui utilisé pour la marinade. Quelques exemples: un madiran, un cahors, des vins des coteaux du Languedoc, parfumés et solides, comme ceux de Saint-Chinian ou de Saint-Saturnin entre autres, pour les rouges, et pour les blancs un graves blanc ou un pinot blanc d'Alsace (bœuf en chevreuil).

● *Le bœuf en ragoût:* carbonade de bœuf, et le célèbre bœuf bourguignon, facile à faire (faire revenir la viande, lier avec un peu de farine, recouvrir de vin, ajouter un bouquet garni, laisser mijoter au moins trois heures. Une demi-heure avant la fin de la cuisson, ajouter à la viande des cèpes et des oignons revenus avec du lard et servir très chaud avec des pommes vapeur). Ce plat sans

prétention mais solide, riche et savoureux, peut être accompagné d'un vin complet et bien constitué (beaujolais, vin de Santenay-en-Bourgogne, au goût franc, bien étoffé, clos-vougeot, Bourgogne oblige) est parfait pour un repas entre amis et une ambiance chaleureuse.

COMMENT ACCOMMODER LES RESTES D'UNE VIANDE DE BŒUF

En bœuf miroton (la viande coupée en tranches est disposée dans un plat à gratin, nappée d'une sauce aux champignons, et réchauffée au four) ou en hachis parmentier. En accompagnement, un rosé de Provence ou un beaujolais-village.

Le cheval

Jamais un Anglais ne mangerait la plus noble conquête de l'homme et 60% des Français n'en mangent pas non plus. C'est une viande nourrissante et tendre, mais les chevaux consommés en France sont le plus souvent importés dans de très mauvaises conditions d'hygiène, et l'élevage industriel ne donne pas une viande savoureuse.

On consomme principalement le cheval en steaks ou en rôtis. Pour les recettes et leurs vins, consulter le chapitre réservé au bœuf.

Le veau

Le veau a fait l'objet de scandales récents. Les Français ont la réputation, vraie ou fausse, de préférer la viande de veau bien blanche. Cette blancheur est due au fait que le veau manque de fer: c'est une viande anémiée.

Ce goût du veau blanc concorde à merveille avec les intérêts de la production. En effet, nous produisons, nous venons de l'apprendre à nos dépens, trop de lait. Les vaches laitières, usines à lait, doivent vêler chaque année pour produire davantage. Notons au passage que ces vaches ne donnent pas une bonne viande car elles ont beaucoup de mauvaise graisse (mais, Dieu merci, cette graisse fait partie maintenant de la nourriture des poulets industriels).

Les veaux ne servent qu'à provoquer chez leurs mères une montée de lait qui ne leur est pas destinée: en effet, ils ont eux droit au lait en poudre et sont sevrés très vite (le lait en poudre coûte cher). Elevés en batterie, c'est-à-dire chacun dans des boxes si étroits qu'ils ne peuvent remuer, où la lumière du jour pénètre si peu qu'ils sont quasiment aveugles, ils sont là pour engraisser le plus vite possible.

Pour éviter que ces veaux ne tombent malades, on leur administre des antibiotiques. Pour équilibrer leur alimentation, on leur injecte des vitamines. Certaines hormones qui faisaient partie de leur traitement sont aujourd'hui interdites car elles sont cancérigènes, mais d'autres sont employées, sans parler des anabolisants. Quel paradoxe: tous ces médicaments coûtent cher et ne peuvent rivaliser avec le simple lait de la mère pour élever un veau. En tout cas, le résultat est là: le veau fond de moitié dans la casserole et non seulement il perd la moitié de son volume qui part en eau, mais encore il est insipide.

Il existe des veaux élevés sous la mère et dans les champs. Leur viande est rosée, tendre, savoureuse, et les régions qui les produisent (Corrèze, Aveyron, Massif central) doivent les exporter en Italie. Les veaux issus de race à viande (Limousin, Charolais) sont élevés pour devenir des bœufs de boucherie. Les quelques veaux élevés sous la mère qui arrivent dans nos villes nous sont vendus fort cher. Il nous reste à espérer que la situation va évoluer vers un plus grand respect du consommateur (et du veau) et, dans cette attente, nous donnerons quand même quelques suggestions!

● *Le veau cuit à l'eau*: avec la blanquette de veau, le quasi de veau ménagère, on peut prendre un vin blanc sec: un muscadet, acide et frais, un vin blanc sec de Graves, plus corsé, ou encore un sancerre ou un pouilly-fumé, légèrement acide et épicé.

● *Le veau à la poêle*: escalopes nature ou panées, aux oignons, aux champignons, à la crème, côtelettes sautées, escalopes viennoises, tournedos de veau à la crème et aux herbes, médaillons de veau à la ciboulette (découpés dans la noix ou la noix pâtissière), escalopes milanaises (nous avons vu que les Italiens achetaient les meilleurs veaux. Ils ont quelques bonnes recettes). Un vin blanc pour les recettes à la crème: un vouvray de Touraine, un pouilly-sur-Loire, acide et fin. Pour les autres, un vin rouge comme un bourgueil, un chinon, un beaujolais-village ou grand cru.

● *Le veau au four*: pour le veau en rôti, farci (barder le morceau de viande, noix, longe, jarret, épaule avant de l'enfourner: il sera moins sec), le rôti de veau au poivre, prenez un vin rouge ayant du corps: du corbières au côte-de-Nuits suivant les circonstances et l'importance que vous voulez donner au repas.

● *Le veau braisé*: veau jardinière (aux haricots verts et petits légumes nouveaux), carré de veau au bordeaux, veau financière, paupiettes de veau au jambon, carré de veau nivernaise, noix de veau braisée, épaule de veau au citron: un sancerre rouge, un brouilly, un juliénas ou un chiroubles, vins étoffés, nerveux, et bien charpentés, un vin rouge de Provence, vin rouge de Bandol par exemple, généreux et charpenté, un madiran à la robe d'un rouge profond, et capable de bien vieillir.

● *Les ragoûts de veau*: veau Marengo, veau matelote: sauce au vin blanc pour le premier, mêmes vins que pour le poulet Marengo, soit un chablis, un graves blanc ou un pinot gris d'Alsace pour le second.

Le mouton et l'agneau

Les agneaux sont généralement moins "poussés" que les autres animaux de boucherie. Ils grandissent sous la mère, en plein air ou à la bergerie. La viande d'agneau ou de mouton est une viande maigre, de fort bon goût, bien qu'on puisse reprocher à certains moutons âgés d'avoir un "goût de laine". Ce n'en est pas moins une viande savoureuse qui varie agréablement les menus. Le mouton de présalé est un mouton élevé dans les prés recouverts à marée haute par la mer. On le trouve surtout en Normandie et il est très apprécié. Il a une chair de couleur rouge foncé.

- *Le mouton cuit à l'eau*: c'est le mouton "à l'anglaise"; on n'a guère l'habitude en France, où l'on aime la viande rouge, de le préparer ainsi et comme on consomme peu de mouton en comparaison du bœuf ou du porc, on ne ressent pas du tout le besoin de varier la façon de l'accommoder. A manger avec un vin rouge souple.

- *Le mouton au gril*: côtelettes d'agneau grillées, accompagnées d'un vin de bonne garde: côtes-de-Beaune, à boire jeunes quand ils sont encore fermes, ou vieux, ils sont alors plus bouquetés, un médoc bien vinifié, délicat et généreux, un côtes-du-Rhône.

- *Le mouton sauté à la poêle*: pour les côtelettes, les rouelles d'agneau, le sauté d'agneau, un beaujolais-village, ou un grand cru du Beaujolais comme un morgon ou un saint-amour.

- *Le mouton au four*: c'est le mode de cuisson le plus répandu. On cuit ainsi le gigot d'agneau, traditionnel à Pâques, les gigots en chevreuil, gigots fermière, l'épaule d'agneau, la selle d'agneau provençale, le filet de mouton (la selle comprend le filet et les doubles côtelettes). Vin d'accompagnement: pour les bordeaux, les graves rouges ou les médoc, un châteauneuf-du-pape, un vin rouge de Provence.

- *Le mouton braisé*: épaule braisée, farcie, côtes de mouton aux champignons, gigot Richelieu. Les vins: surtout des bordeaux, fronsac, pomerol, saint-émilion, sans doute à cause de l'agneau de pauillac, très réputé.

- *Les ragoûts de mouton*: haricot de mouton (mouton cuit avec les haricots, ces deux saveurs fortes se mariant admirablement), ragoût de mouton aux pommes de terre (les pommes de terre se parfument des sucs du mouton et valent les pommes de terre à la graisse d'oie), navarin de mouton (prédominance des navets, autres légumes à forte saveur rehaussant celle du mouton).

Boire avec les ragoûts des vins relativement légers, car le plat est lui-même très fort en goût. Il suffit de le faire valoir: bourgueil, vin rouge d'Anjou, gouleyant et plaisant, beaujolais-village.

Le porc

Le porc, moins cher que le bœuf, le veau ou l'agneau se prête aussi à de multiples recettes. La viande rosée est issue d'un animal jeune, donc point trop gras, et, grâce à l'amélioration de l'hygiène des élevages et à la surveillance vétérinaire, elle ne renferme pratiquement plus de parasites transmissibles à l'homme (trichinoses, ténias). On continue, par prudence et par habitude à la cuire à point. Dans le porc, animal économique facile à nourrir, tout se mange. Nous nous occuperons dans ce chapitre des recettes de viande, la charcuterie ayant été vue au chapitre des entrées.

● *Le porc cuit à l'eau*: c'est le mode de cuisson du petit-salé, qui se prépare comme un pot-au-feu: dessaler la viande 24 heures dans l'eau, cuire deux ou trois heures avec du chou et des pommes de terre. Boire un vin rouge léger.

● *Le porc grillé*: côtelettes grillées, panées. Les accompagner d'un beaujolais-village, d'un vin rouge de pays assez léger.

● *Le porc à la poêle*: pour les côtelettes à la poêle, charcutières, côtelettes sauce au vin blanc: un beaujolais-village, ou des vins de Touraine (chinon par exemple), pour les recettes au vin blanc, un vin blanc de Mâcon, mâcon-village ou mâcon supérieur, vin blanc assez sec.

● *Le porc au four*: carré de porc rôti, côte de porc bordelaise, filet rôti, filet de porc Soubise, porc à la moutarde, filet de porc aux marrons, porc aux lentilles, porc aux pommes (utilisez d'autres pommes que les golden, votre plat sera encore plus savoureux), porc aux pruneaux: des vins rouges de Touraine, un vin de Bourgogne comme le volnay, élégant, équilibré, délicat, au goût très fin, un mercurey, de la côte chalonnaise, vin bien constitué, fin et élégant.

● *Le porc à la cocotte*: porc braisé aux choux, jambon braisé, potée auvergnate: des vins rouges corsés, vieux cahors, vins de Bergerac, fruités et corsés; dans la même région un vin de Pécharmant, fort bien nommé et d'un excellent rapport qualité-prix. Pour une choucroute garnie d'Alsace, un vin d'Alsace comme le sylvaner ou le riesling, ou un champagne si la choucroute est faite au champagne.

Le gibier

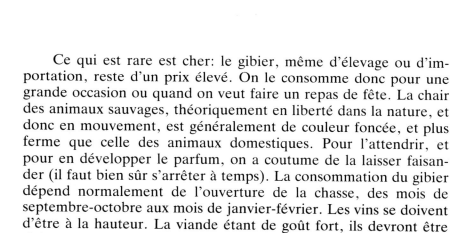

Ce qui est rare est cher: le gibier, même d'élevage ou d'importation, reste d'un prix élevé. On le consomme donc pour une grande occasion ou quand on veut faire un repas de fête. La chair des animaux sauvages, théoriquement en liberté dans la nature, et donc en mouvement, est généralement de couleur foncée, et plus ferme que celle des animaux domestiques. Pour l'attendrir, et pour en développer le parfum, on a coutume de la laisser faisander (il faut bien sûr s'arrêter à temps). La consommation du gibier dépend normalement de l'ouverture de la chasse, des mois de septembre-octobre aux mois de janvier-février. Les vins se doivent d'être à la hauteur. La viande étant de goût fort, ils devront être riches, complets, corpulents et parfumés.

Le sanglier

Le filet, les côtes, les cuissots ainsi que la hure représentent les meilleurs morceaux. Il faut les laisser faisander quelques jours, ou bien les faire macérer dans une marinade. Les sangliers rôtis, les cuissots de sanglier, de marcassin, les côtes de sanglier demandent des grands crus des côtes du Rhône (par exemple, châteauneuf-du-pape, côte-rôtie, hermitage, gigondas), des bourgognes parmi les côtes-de-Nuits, chambertin, bordeaux: saint-émilion, un grand cru, pomerol.

Le lièvre (et le lapin de garenne)

Pour le lièvre rôti, le lièvre en terrine ainsi que le râble de lièvre, prenez donc un pommard, un nuits-saint-Georges: pour les bordeaux un mission-haut-brion, un saint-émilion, parmi les grands crus, ils sont légion.

Le cerf, le daim, le chevreuil

Le cerf et le daim sont plus durs que le chevreuil, dont la chair est très estimée. On la fait faisander, ou mariner quelques jours. Avec le chevreuil (filet chasseur, quartier de chevreuil, cuissot rôti) un vin rouge très corsé; un vougeot, vin très fin de la côte de Nuits, ou un clos-vougeot, appellation contrôlée, un pomerol (le château-petrus est un cru exceptionnel; les grands châteaux sont fort nombreux; les vins sont à la fois charnus, moelleux et se conservent très longtemps).

La bécasse

Le plus fin de tous les gibiers d'après les amateurs, oiseau si délicieux qu'on le prépare même sans le vider (bécasse rôtie, bécasse en salmis, bécasse au pomerol, bécasse flambée). Pour l'accompagner, un grand cru: musigny, bonnes-mares, étoffé et de bonne garde, chambertin, richebourg, appellation contrôlée de Vosne-Romanée, vin prestigieux, un vin de Médoc pour les bordeaux, brillant et bouqueté, un vin de Graves, corsé, nerveux, ou de Saint-Emilion, généreux et bouqueté. Tous ces vins sont à choisir parmi les vieilles années.

Les cailles

Vous pouvez faire des cailles rôties, aux cèpes, braisées, sur canapés, aux raisins. Beaucoup moins délicates que les bécasses, les cailles se trouvent aujourd'hui très facilement (les œufs de caille cuits durs font des salades insolites et originales). Les vins: un juliénas, beaujolais qui a du corps, un châteauneuf-du-pape.

Les perdrix et perdreaux

Chair délicate, qu'on ne fait pas faisander. Pour les perdrix à l'étouffade, perdrix sur un lit de choux, perdreaux rôtis, perdreaux aux truffes, aux raisins, salmis de perdreaux, manselle de perdreaux, suprême de perdreaux (avec sauce au foie gras), il faut un vin rouge corsé, grand cru de préférence, ou un grand cru de Bordeaux ou Bourgogne en vins blancs.

Les sarcelles, grives, pluviers, alouettes

Côte-de-Beaune, vins rouges de Graves sont les vins qui mettront le mieux en valeur la chair de ces oiseaux.

Les faisans

Les laisser faisander non plumés trois à quatre jours. Pour les faisans rôtis, farcis, à l'alsacienne, braisés aux choux, retenez les tokay d'Alsace, volnay, pommard, champagne, vins rouges étoffés, mais pas trop.

Les légumes

Toujours présents dans un repas, les légumes accompagnent généralement la viande. Pour certains, comme les champignons, qui font le goût et la force d'un plat, le vin doit être choisi en fonction de leur saveur.

Quelques légumes

● *Les aubergines, les choux, le céleri, les pommes de terre, les légumes secs* (haricots, pois cassés, lentilles, fèves) demandent un vin corsé: vin rouge de Corse, savoureux et parfumé, vins de Bourgogne ou de Bordeaux.

● *Les endives, épinards, petits pois, courgettes, tomates* s'accompagnent d'un vin plus léger: beaujolais (saint-amour léger et fruité, brouilly) ou côtes-du-Rhône (lirac, côtes-du-Rhône-village, saint-joseph).

● *Farçon savoyard*: des vins de Savoie, comme le seyssel par exemple, vin blanc souple et très élégant ou un vin rouge de Savoie, typé et de grande qualité.

● *Gratin dauphinois*: un côtes-du-Rhône, cornas ou châteauneuf-du-pape.

● *Tarte aux oignons Ambroise Paré*: un vin d'Alsace, sylvaner ou edelzwicker.

● *Champignons de Paris* (croûtes de champignons, champignons au lard): un rosé de Tavel ou de Lirac, un beaujolais-village, et, pour les recettes au vin blanc ou à la crème, un mercurey par exemple, vin blanc de la côte-de-Châlons, ou un vin blanc parmi les côtes-de-Beaune-village.

● *Les morilles*: les morilles ont la tête ronde et toute alvéolée. Leur couleur varie du fauve au noir, elles sont à juste titre très estimées. On les trouve surtout dans l'Est. Un vin du Jura, un vin jaune d'Arbois, un château-chalon, à haute teneur en alcool, et qui donne de très vieilles bouteilles, des vins de Savoie (vins blancs de Crépy par exemple), ou un opulent tokay d'Alsace seront appréciés.

● *Les cèpes*: les plus réputés sont les cèpes de Bordeaux, au large chapeau brun clair et au pied rond et blanc. On boira avec eux un bordeaux, grands crus de Saint-Emilion et de Pomerol, ou un grand médoc.

● *Les girolles ou chanterelles*, les trompettes de la mort (de même forme que les girolles, leur couleur est noire au lieu d'être dorée, mais leur goût est aussi savoureux). Vins d'accompagnement: un vin rosé (tavel, lirac) un vin du Jura ou de Savoie parmi les rosés ou les blancs, un vin de Beaune pour les bourgognes ou de Graves pour les bordeaux.

● *Les truffes*: heureux celui qui en a trouvé! Elles poussent sous certains chênes, profondément enfouies dans le sol; non seulement elles sont rares, mais difficiles à trouver. C'est le plus réputé et le plus cher des champignons. On les sert avec les plus grands vins: les sauternes, les plus admirables des vins liquoreux, un monbazillac, mais certains sont vraiment trop sucrés, ou un grand cru parmi les vins rouges de Bourgogne et de Bordeaux, ou encore un champagne brut, et aussi les grands crus de blanc: corton-charlemagne, meursault, montrachet (puligny-montrachet, chassagne-montrachet), château-grillet, grand blanc sec des Côtes-du-Rhône, etc.

Nous donnerons pour conclure ce chapitre de vins légendaires une petite recette d'Alexandre Dumas: c'est une simple salade d'entrée, dans laquelle rentrent pour moitié des petites pommes de terre nouvelles, cuites à l'eau, et pour l'autre moitié des truffes! Il faut bien rêver...

Les fromages

"Un dessert sans fromage est une belle à qui il manque un œil". La formule est de Brillat-Savarin qui a même laissé son nom à un fromage, riche et crémeux à souhait. Si la France produit des vins à profusion, elle ne manque pas non plus de fromages: il y en a un différent pour chaque jour de l'année, et comme ils ont chacun une saison de prédilection, la monotonie n'est pas à craindre dans ce domaine.

Contrairement à ce qu'on pense, c'est plus le vin qui exalte le goût du fromage que le fromage qui rehausse le vin: on ne choisira donc pas les plus grands crus pour servir avec le fromage.

Les fromages peuvent se diviser en six ou sept catégories suivant la nature de leur pâte. Malheureusement, on peut dire qu'ils n'ont rien gagné à la pasteurisation du lait, ni aux méthodes industrielles de fabrication: ils ont de plus en plus tendance à tous se ressembler, perdant leurs goûts spécifiques, car les usines de fromage, collectant du lait de différentes régions, vendent un fromage insuffisamment affiné. Ce sont les fromages "laitiers". Les fromages dits "fermiers" sont généralement meilleurs mais sont vendus plus cher. On en trouve des frais (non fermentés) et des affinés, c'est-à-dire arrivés à maturation. Les fromages sont comme les fruits: il faut les manger "mûrs", c'est-à-dire à point.

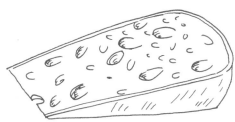

Les fromages non fermentés

Pour tous les fromages frais, les fromages à la crème, chaource, époisses, saint-florentin, soumaintrain, il faut boire des vins légers ou doux ou bien tout simplement de l'eau.

Les fromages fermentés

● *Les fromages à pâte molle:* les brie de Coulommiers, brie de Meaux, brie de Melun, camembert, coulommiers, se mangent avec des vins rouges toniques: fitou, gaillac, bordeaux. Les pont-l'évêque, livarot, maroilles, munster demandent des vins rouges un peu plus corsés que les précédents: saint-émilion, nuits-saint-Georges, côtes-de-Nuits, madiran, gewurztraminer avec le munster.

● *Les fromages à pâte persillée:* avec les bleu d'Auvergne, bleu des Causses, bleu de Corse, bleu de Bresse, fourme d'Ambert, persillé de Savoie, prenez des vins rouges corsés: côtes-du-Rhône (châteauneuf-du-pape, côte-rôtie), vins du Minervois, corbières, rosé de Tavel.

• *Les fromages à pâte pressée:* reblochon de Savoie, tomme de Savoie, cantal, laguiole, saint-nectaire, saint-paulin, port-salut, morbier, tomme des Pyrénées sont meilleurs avec des vins légers, blancs, rosés ou rouges, ou plus corsés, car, sauf le laguiole, ces fromages sont doux: chinon, beaune, marcillac, gigondas pour les rouges, muscadet, apremont ou autres vins blancs de Savoie, sylvaner.

• *Les fromages à pâte cuite:* pour les gruyères, comté, édam français, beaufort, emmenthal, choisissez des vins blancs et rouges solides et bien charpentés: beaujolais, bordeaux, chablis, chinon, bourgueil, vin d'Arbois, vins de Savoie, parfaits avec les fromages savoyards.

• *Les fromages de brebis:* la tomme de brebis, le broccio de Corse, sont des fromages au goût relevé: châteauneuf-du-pape, jurançon. Avec le roquefort: chaque région ou presque lui dédie un vin, rivesaltes rouge pour le Languedoc-Roussillon, gewurtztraminer pour l'Alsace, sauternes pour les bordeaux (mais vous pouvez préférer un cru rouge du bordelais), vin jaune du Jura et vin rosé d'Arbois, chambertin de Bourgogne, vins rouges de Provence.

● *Les fromages de chèvre:* la meilleure saison se situe entre mai et octobre; il en existe plus de quarante sortes venant de toutes les régions: sainte-maure de Touraine, picodon du Dauphiné, pouligny du Berry, rigottes lyonnaises, vézelay de l'Yonne, chèvres du Poitou, du Quercy, de Savoie, de Provence, des Cévennes, etc. Attention aux étiquettes, ils ne sont pas toujours faits uniquement avec du lait de chèvre. Les vins: blancs secs et fruités, autant que possible de la région de production: sancerre blanc, vins de Loire, (vouvray et sainte-maure vont très bien ensemble), vins d'Alsace, sauvignon désaltérant.

● *La fondue savoyarde:* les vin de Savoie, seyssel, apremont, vin de Crépy.

Les desserts

Le chocolat et le café s'accordent mal avec le vin. Un gâteau au chocolat nappé de sauce au café où les arômes du chocolat et du café s'allient merveilleusement, l'un développant le parfum de l'autre, pose un problème difficile quant au vin que l'on boira avec. L'eau pure et simple sera peut-être dans ce cas la meilleure solution.

Les desserts sont cependant très variés, et nous ne serons pas réduits à boire de l'eau dans tous les cas.

Les entremets

Ils se servent à la fin du repas, avant le dessert dans les grands repas, mais plus souvent en guise de dessert dans les repas plus courants. Ils comprennent toutes les sortes de crèmes: crème anglaise (vanille ou caramel, éviter le chocolat ou le café), crème bavaroise, pâtissière, renversée, œufs à la neige, île flottante, crème Richelieu (aux pralines), crème belle et bonne (aux poires et au vin rouge, et quel joli nom!); les flans, les poudings, les crêpes sucrées, les beignets, les glaces (sauf chocolat et café), les sorbets aux fruits, les charlottes et bavarois à base de crème anglaise et de crème chantilly, que l'on fait tenir pour leur donner fière allure grâce à la gélatine. Les vins d'accompagnement: on exclura tous les vins rouges, pour faire place aux vins blancs doux et aux vins pétillants: vouvray mousseux de Touraine, blanquette-de-limoux, qui se boit jeune, mousseux de la région de Saumur (appellation "vins de Saumur d'origine"), quart-de-chaume, vins liquoreux d'Anjou très bien équilibrés, monbazillac, très onctueux et liquoreux, vin du sud-ouest très connu, peut-être trop sucré pour un dessert? C'est affaire de goût, comme pour le champagne, qu'on servait plus volontiers autrefois qu'aujourd'hui en fin de repas. Prenez plutôt un demi-sec, et ne l'achetez pas en supermarché, car les bouteilles risquent d'avoir été manipulées, et ne sont pas stockées dans des conditions idéales de température et de lumière (les rayons des grandes surfaces ne peuvent avoir ni la fraîcheur ni l'obscurité des caves).

La pâtisserie

Les sablés, choux, galettes, dartois, pithiviers, babas, savarins, brioches, gâteaux, quatre-quarts, feuilletés, bûches, tartes auront comme vins d'accompagnement des vins doux naturels, forts en alcool, et des vins liquoreux: le frontignan, le rivesaltes, le banyuls du Languedoc-Roussillon, un jurançon moelleux et racé du Sud-Ouest, un vin de paille du Jura (le raisin sèche deux ou trois mois sur des claies, le vin n'est fabriqué qu'en février. Longtemps conservé en fût, le vin de paille se garde très longtemps, et possède beaucoup d'onctuosité); avec un gâteau aux noix, un vin de Château-Chalon. Avec une bûche de Noël, un champagne, car c'est Noël! Les vins de Sauternes seront parfaits avec les pâtisseries pas trop sucrées. Les vins d'Alsace comme le gewurtztraminer, le muscat d'Alsace, le crémant conviennent aussi aux saveurs sucrées et naturellement aux pâtisseries alsaciennes comme le gâteau de cerises, les beignets à la vapeur ou le kugelhopf.

Les fruits

Avec les fruits frais acides, nous l'avons vu, il faut de l'eau uniquement. Avec les poires (poires au vin, poires Belle-Hélène, condé de poires) les vins rouges conviennent aussi: vins rouges souples et légers de Champigny par exemple. Les vins rouges se boivent aussi avec les pêches, les abricots, les fruits rouges. Le melon est au porto, mais aussi au banyuls ou un autre vin doux. Les fruits secs, noix, amandes, noisettes sont un merveilleux accompagnement pour tous les vins.

Comment choisir le vin

Les différentes régions des vins

Cette dernière partie est très importante. Vous êtes déjà un amateur du vin, mais vous désirez devenir un connaisseur. Dans la cave d'un vigneron vous goûtez le vin avant de l'acheter, mais dans un magasin, l'étiquette est votre seul recours. Or, face aux étiquettes, vous vous sentez perplexe: que recouvrent-elles, que cachent-elles?.

La particularité de chaque vin va dépendre du sol, du sous-sol, du climat de la région et des variations saisonnières de ce climat, de l'exposition, c'est-à-dire de la situation en plaine ou en coteaux et de l'orientation des pentes, de l'environnement des vignobles, du ou des cépages employés, de la façon dont le vin va être élevé et surveillé et, enfin de la maturité du vin qui dépendra de l'année où il sera bu. Toutes ces conditions expliquent la si grande diversité des vins, même entre les appellations d'une même région et font que, s'il est d'abord difficile de s'y retrouver, un plaisir toujours nouveau et toujours renouvelé fera vite de vous un passionné de ce divin breuvage.

Nous allons parcourir la France du vin région par région et, pour chacune d'entre elles, nous examinerons les vins qu'elle produit et étudierons leur classement, afin de vous permettre de choisir votre vin en bonne connaissance de cause, sans plus vous fier au hasard ou à l'intuition pour dénicher une bonne bouteille. Vous aurez ainsi l'heureuse surprise de découvrir qu'il n'est pas forcément nécessaire de dépenser beaucoup d'argent pour boire un bon vin.

Pour bien comprendre la classification qui va suivre, il faut savoir ce que signifient les sigles A.O.C., V.D.Q.S., les termes "grand cru classé", ou, "vin de pays".

Les appellations

A.O.C. (Appellation d'Origine Contrôlée)

C'est l'expression forgée par la législation pour indiquer le lieu d'origine et en même temps définir une qualité de vin. L'appellation délimite donc une région. Plus la région est vaste, moins les normes sont strictes. Au contraire, si la région concernée est restreinte les normes seront très précises. L'Institut National des Appellations d'Origine (l'I.N.A.O.) chapeaute cette réglementation. Elle concerne tous les aspects de la viticulture: les terrains sont tous examinés et reconnus aptes ou non à la culture de la vigne en fonction de leur formation géologique. Les cépages autorisés dépendront du sol et du climat de la région. Le rendement des ceps ne devra pas dépasser les limites fixées: la façon de les tailler est donc contrôlée, car la course au rendement entraîne une dégradation de la qualité. Par ailleurs, la taille varie selon les sols où la vigne doit s'accrocher et la plus ou moins grande clémence des climats dont elle bénéficie. Le moment des vendanges (maturation du raisin), la façon de vendanger et de vinifier (pressage, fermentation, décuvage, soutirage), tous les stades sont soumis à des exigences très précises.

Le prix de revient élevé des vins fins s'explique au départ par ces deux raisons: l'obligation d'un faible rendement des ceps, condition indispensable de qualité, et l'achat de fûts neufs pour faire mûrir le vin, car les vieux fûts, à cause des dépôts, empêchent la respiration du vin (importance de l'oxygène) et le contact avec le bois (qui donne entre autres choses des tanins, et un goût de vanille) est néfaste.

Les progrès de la technologie permettent aujourd'hui un grand contrôle de l'élaboration du vin. On est capable de fabriquer un vin qui réponde au goût du public. Heureusement, le public a tous les goûts, et on cherche à conserver à chaque vin ce qui fait sa spécificité. Grâce aux lois actuelles, les grands vins sont protégés contre les abus, et leur réputation est méritée.

Qu'est-ce qu'un cru? C'est le produit d'un territoire délimité, répondant à des conditions précises. Un *cru classé* est un vignoble d'appellation contrôlée. Un *grand cru* est un titre appliqué aux crus de grande qualité. Les *grands crus classés* sont les meilleurs vins de Bordeaux.

V.D.Q.S. (Vins Délimités de Qualité Supérieure)

C'est la seconde catégorie. Ces vins n'ont pas été jugés dignes d'une appellation d'origine contrôlée, mais sont cependant assez bons pour être mis au-dessus du vin de consommation courante. Certains V.D.Q.S. sont même quelquefois très bons et leur prix doit être un prix d'ami.

LES VINS DE PAYS

C'est une classification récente, due aux progrès technologiques qui ont permis d'améliorer grandement la qualité de ces vins. Bus jeunes, ils sont souvent très agréables. Leur teneur en alcool est généralement plus faible que celle des appellations d'origine contrôlée.

La carte de la page suivante trace les limites des régions d'appellations contrôlées. Les vins de ces régions ne représentent qu'un septième environ du total des vins produits en France. La carte de la page 95 montre, au contraire, l'ensemble des régions productrices de vin. On comprend en la regardant qu'il y ait parfois surproduction de vin ordinaire.

CARTE DES VINS D'APPELLATION CONTROLEE

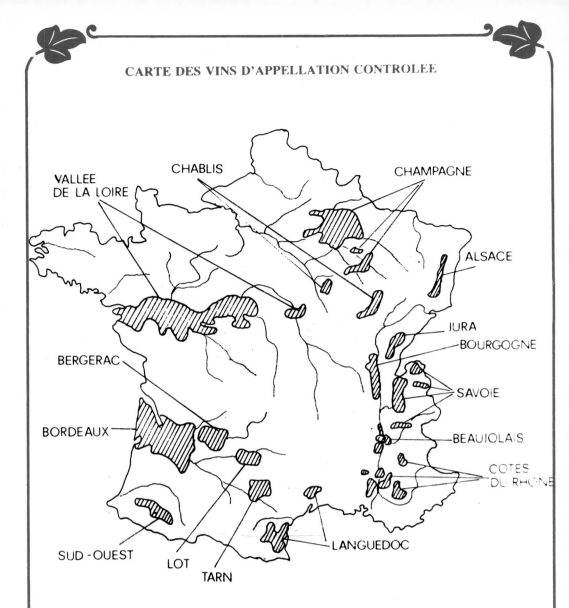

CHABLIS

CHAMPAGNE

VALLEE
DE LA LOIRE

ALSACE

JURA
BOURGOGNE

BERGERAC

SAVOIE

BORDEAUX

BEAUJOLAIS

COTES
DU RHONE

SUD-OUEST

LOT

TARN

LANGUEDOC

CARTE DES REGIONS PRODUCTRICES DE VIN

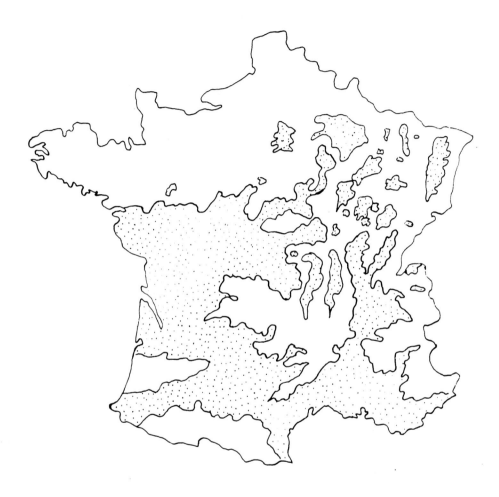

La Bourgogne

La Bourgogne est une région magnifique, productrice de vins de réputation mondiale (ils partent d'ailleurs pour la plupart à l'étranger). Un hectare d'un grand cru coûte ici jusqu'à un milliard de centimes. Les grands crus de Romanée-Conti, de la Tâche, de Richeboug ou de Romanée Saint-Vivant ne sont même pas cités dans le chapitre des recettes de ce recueil: c'est un plaisir trop rare.

Le nom de Bourgogne appliqué à ses vins est équivoque. Les vignobles sont divisés en d'innombrables parcelles appartenant à des propriétaires différents. Il y a des centaines de vignobles, donc des centaines de vins, mais des milliers de propriétaires et donc des milliers de vins s'ils étaient tous vinifiés par le vigneron, mais ce n'est pas toujours le cas car des négociants achètent les récoltes, chaptalisent, mélangent, fabriquent des vins standard pour un public peu exigeant. Il en est des négociants comme des vignerons propriétaires: certains sont bons et leurs vins sont des vins de qualité, d'autres sont moins scrupuleux et leurs vins portent tort à tous, aux consommateurs comme aux producteurs, et au vin de Bourgogne lui-même, évidemment.

En Bourgogne, les vins restent moins longtemps en cuve que dans le Bordelais.

Le cépage le plus couramment employé est le pinot noir qui donne un vin plus léger que le cépage utilisé pour les bordeaux.

Les bourgognes se boivent donc plus rapidement que les bordeaux, même si certains grands crus peuvent être de longue garde.

Les différentes régions de Bourgogne

BEAUJOLAIS

Le cépage est principalement le gamay, pour les rouges et les rosés, et le chardonnay ou l'aligoté pour les blancs. Il y a environ soixante villages et sept mille exploitants qui produisent du beaujolais. Une trentaine de ces villages ont droit à l'appellation "beaujolais-village" et neuf seulement fournissent les grands crus du Beaujolais.

Beaujolais primeur. La demande est forte, d'où un penchant pour faire un vin facile et sans qualité. Le beaujolais primeur se

Brochettes de poulet aux herbes

Pour 4 personnes: *800 g de blancs de poulet taillés en gros morceaux - 1 poivron jaune - 1 poivron rouge - 1 gousse d'ail - 1 botte d'oignons frais - 4 citrons - 1 botte de coriandre - 1 botte de menthe fraîche - 1 tasse d'huile d'olive - 1/2 cuillerée à café de paprika - sel - poivre*

La veille, laver les poivrons, les herbes et les petits oignons frais. Les égoutter et les sécher dans un torchon propre. Couper les poivrons en deux, les vider et les trancher en morceaux de 4 à 5 cm. Réserver. Ciseler la menthe et la coriandre en prenant soin préalablement de détacher les feuilles des tiges. Réserver. Nettoyer les oignons. Les couper en deux seulement s'ils sont gros.

Préparer la marinade: presser les citrons dans une jatte, ajouter l'huile d'olive, les herbes, le paprika et la gousse d'ail hachée menu. Mélanger intimement les morceaux de viande, de poivrons et les oignons. Couvrir et laisser au réfrigérateur toute une nuit. Le lendemain, enfiler oignons, morceaux de poulet et poivrons sur 4 brochettes en alternant. Il est recommandé de commencer et de terminer la brochette avec le poivron car il est plus ferme que les autres ingrédients. Pendant la cuisson, saler et poivrer les brochettes et arroser si nécessaire de la marinade.

Vin conseillé: un rosé

Saucisson à la pistache

Pour 4 personnes: *1 saucisson farci à la pistache - 1 poignée de pistaches - 250 g de mâche - 1 cuillerée à soupe d'huile de noisette - 1 cuillerée à soupe d'huile de pépins de raisin - 2 cuillerées à café de vinaigre balsamique - sel - poivre*

Trancher le saucisson en larges tronçons. Laver la salade. Préparer une vinaigrette. Disposer sur les assiettes une poignée de salade, quelques tranches de saucisson. Parsemer de pistaches hachées.

Vin conseillé: un gaillac

Flan de légumes

Pour 4 personnes: *200 g de purée de carottes - 200 g de purée de céleri - 200 g de purée de brocolis - 1/2 cuillerée à café de muscade râpée - 3 œufs entiers - sel - poivre*

Battre chacune des purées avec 1 œuf entier, un peu de sel, de muscade et de poivre. Dans des ramequins individuels, alterner les 3 purées. Faire cuire au bain-marie environ 1/2 heure. Laisser refroidir plusieurs heures au réfrigérateur. Démouler les flans juste avant de servir.

Vin conseillé: un côtes-du-rhône

Coquilles Saint-Jacques aux champignons

Pour 4 personnes: *600 g de coquilles Saint-Jacques - 1 livre de champignons des bois - 1/2 verre de sancerre - 20 cl de crème liquide - 2 échalotes - 15 g de beurre - sel - poivre*

Dans une sauteuse, faire fondre quelques minutes dans le beurre les échalotes finement émincées puis ajouter les coquilles et les poêler. Mouiller avec le vin et faire cuire à feu doux pendant 10 minutes. Réserver au chaud. Nettoyer, laver et sécher les champignons. Les poêler à feu vif sans matière grasse. Les faire cuire environ 20 minutes. Egoutter. Les remettre dans la poêle. Ajouter la crème liquide. Assaisonner. Faire réduire 2 minutes la crème. Servir avec les coquilles.

Vin conseillé: un sancerre

fait à toute vitesse car dès le mois de novembre il doit être sur les comptoirs. La méthode traditionnelle de fabrication du beaujolais est la macération carbonique. Cette méthode consiste à mettre le raisin non écrasé dans des cuves fermées, sans oxygène, mais au contraire saturées de gaz carbonique, durant plusieurs jours. Une partie du sucre du raisin se transforme en alcool. On presse alors le raisin. La macération carbonique apporte des arômes supplémentaires. Le raisin subit ensuite une fermentation alcoolique normale. Cette façon de faire demande du temps; le beaujolais primeur n'en bénéficiera donc pas. Anhydride sulfureux et sucre en quantité rentrent dans sa composition. Aussitôt mis en bouteille, vendu et bu, c'est la plupart du temps un vin qui ne mérite pas qu'on fasse autant de tapage à son sujet.

Beaujolais-village. Il provient de la partie nord du Beaujolais, et c'est un vin légèrement plus fort que le beaujolais supérieur. Cependant, si certains sont bons, la plupart souffrent d'une chaptalisation (apport de sucre) excessive.

LES GRANDS CRUS DU BEAUJOLAIS

Ces beaujolais sont de grands vins, capables de vieillir.

Chiroubles. C'est celui qui se boit le plus rapidement. C'est un vin fruité, parfumé, brillant.

Brouilly. Ils sont pleins de sève, surtout le côte-de-brouilly.

Fleurie. Vins légers et exquis, ils sont séduisants et très fruités.

Morgon. Charnu et généreux, il se garde plusieurs années.

Saint-amour. Il mérite bien son nom. C'est un amour de vin, très agréable à boire.

Chenas. Corsé et généreux, il se conserve environ cinq ans.

Juliénas. C'est un vin plein de vigueur et de corps qui vieillit bien.

Moulin-à-vent. C'est peut-être le meilleur des beaujolais; il est plus dur quand il est jeune et se conserve donc plus longtemps (dix ans et plus). Vin ample et puissant, c'est une joie que de le boire.

MÂCONNAIS

Juste après le Beaujolais, autres paysages, autre sol, autres vins. Les rouges et les rosés portant l'appellation "Mâcon" sont honnêtes, mais sans plus. Ce sont les vins blancs qui sont les plus dignes d'intérêt.

Les vins blancs de Mâcon sont issus du cépage appelé chardonnay donnant les meilleurs blancs. Ce sont des vins de qualité mais le meilleur est le *pouilly-fouissé*. Plusieurs vignobles en produisent, répartis sur quatre communes. C'est un vin sec, de couleur pâle, rafraîchissant, et qui acquiert vite sa plénitude: il faut le boire quand il est jeune (cinq ans maximum).

CHALONNAIS

Mercurey. C'est un vin rouge profond et savoureux.

Montagny. Ce sont des vins blancs frais et agréables.

Rully. Il est très fin, tant en rouge qu'en blanc. Ce dernier est souvent champagnisé.

A *Givry*, on trouve des rouges bien charpentés et des blancs assez fins. Tous ces vins sont agréables, et d'un prix très abordable.

CÔTE DE BEAUNE

Beaune est la capitale des vins de Bourgogne. Les Hospices de Beaune vendent le vin de leurs vignes depuis le XVᵉ siècle, et cette vente aux enchères est encore très célèbre aujourd'hui.

Les vins de la côte de Beaune peuvent être le meilleur et le pire. Ici, la réputation des uns profite aussi aux autres et bien des vins ne sont pas aussi grands qu'on voudrait le faire croire. Ces confusions sont aisées à introduire, car des vins issus de vignes identiques et voisines ne se ressemblent pas. Parmi les grands crus, les blancs sont les plus sublimes; les rouges, mis à part le corton, ne se gardent pas plus de dix ans.

Les côte-de-Beaune-village. Quatorze communes ont droit à cette appellation. Le vin vendu résulte du mélange des vins de ces différents endroits.

Au-dessus des côte-de-Beaune-village, viennent les vins portant le nom de la commune qui les produit. Il y en a une vingtaine. Les rouges sont assez légers, tendres et parfumés, les blancs sont secs et bouquetés. Tous sont très différents les uns des autres.

Encore au-dessus viennent les crus classés. Ces vins portent le nom de la commune, suivi du nom du cru. Pour eux, la qualité demandée est élevée. Ce sont des vins racés et renommés.

Le meilleur pour la fin: les grands crus. Il y en a huit, un rouge, le corton, et sept blancs répartis entre les communes de Puligny-Montrachet et de Chassagne-Montrachet. Ce sont des vins mémorables.

CÔTE DE NUITS

Voici les grands vins rouges et les noms les plus prestigieux, le domaine des princes de Conti, le clos-vougeot des moines cisterciens, aujourd'hui propriété de la confrérie des chevaliers du Tastevin, le bonnes-mares, le musigny, etc.

Le pinot noir donne le meilleur vin, mais le climat est capricieux. Les "grands" vignobles étant tous petits de superficie, la production est donc très faible. Chaque vignoble a son climat spécifique, chaque vin possède ses caractéristiques particulières.

Les vins les moins bons sont vendus sous l'étiquette "bourgogne", puis viennent les "Vins fins de la côte de Nuits", les "haute côte de Nuits" et les "côte de Nuits-village".

Les vins portent le nom de leur commune: elles sont une dizaine en "côte de Nuits". Le vin dépend beaucoup de celui qui le fait et l'élève. Si le producteur est sérieux, même dans les mauvaises années, fréquentes en Bourgogne car le climat est rigoureux, on trouve des vins de grande classe.

Les premiers crus: ils portent le nom de la commune, suivi du nom du cru; il faut être attentif pour bien s'y reconnaître: gevrey-chambertin, clos-des-varoilles sont des premiers crus, mais latricières-chambertin est un grand cru et chambertin-clos-de-bèze un cru exceptionnel.

Les grands crus de la côte de Nuits: des vins merveilleux et inoubliables... quand on a eu la chance d'en boire!

CHABLIS

C'est le vin le plus célèbre de son département (l'Yonne), les vins rouges d'Irancy ou de Saint-Brisle-Vineux sont presque oubliés. Le chablis, vin blanc sec, se divise en trois catégories: le petit chablis, agréable à boire frais et jeune; les premiers crus, souvent excellents; les sept grands crus, parfumés, élégants, fins et racés, très supérieurs aux premiers crus. Il faut les boire au bout de quatre ou cinq ans.

Le Bordelais

Depuis Richard Cœur de Lion, le vin de Bordeaux ne manque pas d'amateurs: il n'y a pas que l'Angleterre pour apprécier le "château-margou"!! A la fin du XVIIIᵉ siècle, on commença à faire vieillir le vin en bouteilles et, en 1855, on procéda à une grande classification des vins de Bordeaux. Les limites sont à peu près celles du département de la Gironde.

Comme en Bourgogne, l'appellation la plus générale correspond au vin le plus banal: le "bordeaux". Nous avons ensuite les vins portant le nom d'une région plus précise: médoc, sauternes, etc, et qui sont le résultat de coupages. Leur qualité dépend du négociant, mais il y a peu d'abus. Le "bordeaux supérieur" titre un degré d'alcool plus élevé que le "bordeaux". Dans le Médoc, on trouve des "crus bourgeois" et des "crus bourgeois supérieurs" qui sont parfois de très bonnes occasions.

Classification des crus

Celle de 1855 avait besoin d'être revue et corrigée. On trouve pour les graves et les saint-émilion des premiers grands crus classés et des grands crus classés, puis les grands crus, enfin les "autres crus". Pour les médoc et les sauternes, on compte en premiers crus, deuxièmes crus… (jusqu'à cinq pour les médoc). Les vins de Pomerol ne sont pas officiellement classés, les "crus exceptionnels" ne sont pas supérieurs aux grands crus.

Il y a plus de deux mille châteaux dans le Bordelais, nous ne pourrons donc que généraliser, et donner quelques grandes lignes, ce qui reste difficile étant donné la richesse et la variété de tous ces vins.

Médoc

On y produit des vins rouges de grande qualité, les meilleurs du monde pour certains. Le Médoc central donne de plus petits vins, quoique très attrayants, et certains crus bourgeois de ce secteur mériteraient d'être classés parmi les grands crus: c'est qu'ici aussi les progrès apportés dans la vinification ont été mis à profit, et que les vignerons, soucieux de qualité, sont nombreux. Même ces petits crus méritent de vieillir quelques années, car ils acquièrent ainsi finesse et subtilité.

Haut-Médoc. On trouve des vins rouges, parmi lesquels les célèbres margaux, saint-julien, saint-estèphe, pauillac. Comme partout en France, plus l'appellation est précise, plus le vin répond à des normes exigeantes de qualité. Contrairement aux bourgognes, les bordeaux résultent d'un mélange de plusieurs cépages, introduits dans des proportions définies par la loi. Contrairement aussi aux bourgognes les raisins fermentent avec leurs peaux, ce qui donne des vins tanniques, durs dans leur jeunesse, mais se conservant parfois très longtemps. Les premiers crus sont le château-lafite, château-margaux, château-latour, château-mouton-Rothschild et château-haut-brion (qui se trouve sur le territoire des Graves). Il y a une soixantaine d'autres crus, délicats, fins, au parfum de violette, vins suaves et distingués. Si l'on peut les acheter jeunes directement au château, on les obtiendra à un prix abordable et on pourra les laisser vieillir en cave, très longtemps pour les grandes années, un peu moins pour les moins bonnes. Les vins des petites années peuvent être exquis, eux aussi, mais il faut les boire beaucoup plus rapidement.

SAINT-EMILION

Le vin est ici plus vigoureux et plus corsé qu'en Médoc. Huit communes ont droit à l'appellation simple "Saint-Emilion". Comme ailleurs, la qualité dépend du propriétaire, mais on est la plupart du temps satisfait. Cinq autres communes sont autorisées à rajouter "Saint-Emilion" à la suite de leur nom, car leurs vins sont équivalents aux précédents en qualité.

Les châteaux. Au sommet, douze premiers grands crus, château-cheval-blanc et château-ausone en tête. Ce sont des vins splendides, magnifiquement corsés et généreux, et égaux, quoique différents, aux cinq grands médoc.

Viennent ensuite les grands crus, environ soixante-dix vins de toute beauté, somptueux, veloutés, et des centaines d'autres crus, moins connus mais pourtant de grande qualité, riches et capables pour beaucoup d'atteindre à la perfection. Comme ils sont moins célèbres que leurs voisins des sommets de la hiérarchie, leurs prix sont plus doux, tout en restant relativement élevés, ce qui se justifie tout à fait par le souci de qualité qui les caractérise: les vignes doivent produire peu, la vinification doit être bien menée; on laisse au vin le temps de se faire et de vieillir. Les vins de Saint-Emilion mettent généralement plus de temps à atteindre leur stade de maturité et de perfection que les médoc. Les grands crus doivent avoir un minimum de cinq ans de bouteille et ne sont pleinement épanouis qu'entre dix et vingt ans, mais les bonnes et mauvaises années introduisent des variations importantes.

POMEROL

Les vins de Pomerol on la vigueur des saint-émilion et la subtilité des médoc. Proches du territoire de Saint-Emilion et issus des mêmes cépages que dans le Médoc, ils ont cependant leur propre caractère et un goût bien à eux.

Longtemps vendus sous le nom de "Saint-Emilion", ils n'ont pas reçu de classification officielle, mais l'usage met en avant le grand château-petrus suivi d'une dizaine de grands crus comme château-lafleur, château-la-conseillante, château-l'évangile, etc. Ces vins possèdent beaucoup d'onctuosité, ils sont charnus et nuancés; on leur attribue un parfum de truffe. A Lalande-Pomerol et à Néac, on trouve de nombreux crus veloutés et chauds, d'une belle robe rubis et dont le prix a su rester plus sage que celui des plus grands pomerol. Beaucoup de vignerons pratiquent la vente directe; vous avez ainsi l'occasion de réaliser de bonnes affaires, car les normes de qualité sont élevées et dans l'ensemble bien appliquées. Le pomerol peut se boire dès cinq ans et jusque vers quinze ans.

GRAVES

Ce mot vient de gravier, car le sol est très pierreux mais, contrairement à ce que l'on aurait tendance à croire, c'est un bon point quand il s'agit de vignes. Les meilleurs vins sont tous issus de sols caillouteux où la roche affleure presque sous une mince couche de terre. Dans de nombreux coteaux, cette terre ravinée par les pluies et les orages doit être remontée et la vigne doit enfoncer très profondément ses racines pour trouver l'eau et les aliments dont elle a besoin pour survivre. En Bourgogne comme en Bordelais, et comme dans tous les grands vignobles, le raisin est le fruit d'une ténacité et d'un combat constant des ceps et des vignerons qui les soignent et les protègent (on allume des poêles dans les vignes pour lutter contre le gel, on traite contre les maladies, on taille tous les sarments inutiles pour concentrer l'énergie dans ceux qui produiront, on place des filets). On produit ici des vins blancs secs et des rouges vigoureux. Les vins blancs sont les plus nombreux car au sud de la région, on est proche de Sauternes et les vins commencent à l'annoncer en étant déjà moelleux. Ceux qui ont un degré suffisamment élevé d'alcool peuvent s'appeler "Graves supérieurs", mais il existe des grands crus: le château-haut-brion blanc est un vin sec parmi les plus grands. A Martillac, au château de La Brède (qui fut le domaine de Montesquieu), à Saint-Morillon, les blancs sont secs et bouquetés. En descendant vers Sauternes, ils deviennent plus suaves.

Les rouges, fruités et parfumés, ont dans l'ensemble plus de distinction que les blancs. Le château-haut-brion, classé parmi les médoc, est l'un des meilleurs graves. La mission-haut-brion, le château-haut-bailly, et quelques autres crus, lui donnent brillamment la réplique. Ils sont nerveux, fins, et d'un arôme profond, ils se gardent longtemps.

FRONSAC

Ce sont des bordeaux plus rustiques, mais ils ont subi une grande amélioration grâce à une vinification plus attentive. Les côtes-de-fronsac et les côtes-canon-fronsac produisent de très bons crus d'un vin rouge chaleureux qui vieillit très bien. Les canon-fronsac sont les plus réputés.

CÔTES DE BOURG ET DE BLAYE

Blaye offre un meilleur vin blanc, Bourg un meilleur vin rouge. Le château-segonzac à Blaye, le château-bousquet de Bourg et quelques autres sont assez connus. Les appellations "Premières Côtes de Blaye" donnent souvent des vins très agréables et francs.

LES AUTRES CÔTES

Premières-côtes-de-bordeaux, côtes-de-castillon, côtes-de-francs, ces appellations d'origine contrôlée produisent la plupart du temps pour un prix modeste des vins colorés, souples, excellents dans certains cas.

ENTRE-DEUX-MERS

La Dordogne et la Garonne sont ici larges comme des mers. Le vin rouge de la région est vendu comme "Bordeaux", seul le blanc a droit à l'appellation "Entre-deux-Mers". C'est un vin sec et fruité, qui n'a pas de grand cru mais est souple et rafraîchissant.

Le sauternes est un vin doux naturel, c'est-à-dire qu'on ne lui ajoute pas de sucre. C'est le soleil qui doit être suffisamment chaud et suffisamment durable pour que les raisins en regorgent. Les années où le temps est trop mauvais, il n'y a pas de sauternes. On ne récolte que lorsque les grains sont desséchés et couverts d'une moisissure peu appétissante appelée "pourriture noble". Cette "pourriture" est un champignon microscopique et les raisins qui en sont atteints ont alors une douceur et une saveur très particulières. Comme tous les grains n'arrivent pas à ce stade en même temps, il faut vendanger plusieurs fois et les grands sauternes sont vendangés quasiment grain par grain, ce qui justifie un prix élevé, d'autant que, si le temps se gâte, la récolte est perdue et les bénéfices nuls. Les raisins sont mis dans des fûts de bois neufs et il faut surveiller attentivement la fermentation qui atteint parfois vingt ou vingt-cinq degrés si trop de sucre se transforme en alcool. La mise en bouteilles ne se fera qu'au bout de deux ou trois ans.

Une fois en bouteille, le sauternes est d'une grande longévité, car certains deviennent centenaires sans même madériser.

Les vins de Sauternes sont tributaires du moment de la récolte: trop tôt ou trop tard et on manque la perfection. Ces vins sont vendus aux négociants qui leur donnent le nom "Sauternes" sans rien de plus. Le Sauternais comprend cinq communes (Sauternes, Barsac, Bommes, Preignac, Fargues) qui possèdent un premier grand cru, le château-yquem, une dizaine de premiers crus, une douzaine de seconds crus. Ils sont uniques au monde, couleur de vieil or et d'une suavité sans pareille.

Les vins de la Loire

La Loire, le plus irrégulier des fleuves français. Ses vins seront à son image, parfois quelconques, parfois excellents.

Dans le département de l'Allier, on trouve le saint-pourçain-sur-sioule. Au Moyen Age, sa réputation dépassait celle des vins de Bourgogne ou de Bordeaux mais il n'est plus aujourd'hui qu'un vin délimité de qualité supérieure.

POUILLY

Dans la Nièvre, à Pouilly-sur-Loire, on trouve deux vins blancs: le pouilly-sur-Loire, vin acide et léger qui se boit quand il est jeune, et le pouilly-fumé, plus fruité et harmonieux, qui se conserve trois-quatre ans.

SANCERRE

Sancerre, dans le Cher, offre un vin fort apprécié; c'est un vin blanc sec, issu du cépage sauvignon. On fabrique aussi dans la région des rouges élégants dont la production est encore réduite et quelques rosés.

REUILLY

Dans l'Indre, les vins de Reuilly sont en voie de disparition. Ils étaient très proches par leur caractère des vins de Quincy, vins blancs secs et vifs à déguster dans leur jeunesse car après deux ans ils perdent leur bouquet.

JASNIÈRES

A Jasnières, dans la Sarthe, un très bon vin blanc demi-sec capable de se conserver très longtemps sans perdre ses qualités. Sur les coteaux du Loir, quelques vins de moindre intérêt.

ANJOU

Un dicton prétend que "Angevin/sac-à-vin" et c'est un fait qu'on produit dans ce secteur du rouge, du rosé et du blanc généralement charmants... quand ils sont authentiques. Les vins vendus sous l'étiquette "Anjou" sont les moins attrayants: les rosés surtout, trop pâles ou trop colorés n'ont souvent qu'un goût de sucre.

Les différentes appellations d'origine contrôlée

Coteaux du Layon. Ce sont des rosés légers, des blancs doux vendangés pour certains comme dans le sauternais, c'est-à-dire atteints de la pourriture noble. Sans prétendre toutefois à la perfection du sauternes, ils sont corsés, bien équilibrés et de longue garde. Trois appellations: "Coteaux du Layon", "Bonnezeaux" et "Quarts de Chaume".

Coteaux de la Loire. Ces vins de qualité sont légers et bien faits. A Savennières, il existe des vins blancs fins et secs, à boire entre cinq et dix ans.

Saumur. Ce sont principalement des vins blancs, secs, fruités et robustes, dont une grande partie est transformée en mousseux selon la méthode champenoise. Pour les rosés, les meilleurs sont issus du cépage "cabernet", comme les autres bons rosés d'Anjou.

Touraine. Jardin de la France, cette région regorge de châteaux royaux, mais aussi de quelques bons vins, tant rouges que blancs.

Vouvray. Vins blancs secs et vins blancs moelleux. Une partie de la production est champagnisée. Les vouvray se boivent jeunes sauf quelques liquoreux de grandes années qui se conservent vingt ou trente ans. Très fruités, bien faits, les vouvray sont d'un prix très doux.

Montlouis. Les meilleurs vins de Montlouis sont comparables aux vouvray.

Bourgueil et St-Nicolas-de-Bourgueil. Ces appellations ne concernent que les rouges et quelques rosés. Les vins de Saint-Nicolas sont plus charpentés que ceux de Bourgueil, mais tous développent un arôme de framboise et sont d'un bon rapport qualité/prix. Ces vins se gardent aisément cinq ans.

Chinon. Surtout des rouges, souples, fruités, de longue garde les bonnes années, ce sont des vins intéressants. La superficie des vignes a doublé en vingt ans et on cherche à l'agrandir encore. En même temps, on commercialise un chinon primeur qui se veut léger et fruité, ne pouvant avoir l'ampleur du chinon venant des coteaux.

Les appellations "Touraine" et "Touraine primeur" réunissent les vins ne satisfaisant pas aux normes des appellations précédentes. Le "Touraine primeur" tente de se faire une place à côté du "Beaujolais primeur". S'il ne tombe pas dans les mêmes défauts, les deux vins auront tout à y gagner.

Muscadet. Nous sommes arrivés à l'embouchure de la Loire. Le muscadet n'est plus à présenter, c'est un vin très connu. Il se subdivise en trois appellations contrôlées: muscadet, muscadet-de-Sèvre-et-Maine, muscadet-coteaux-de-la-Loire. C'est un vin un peu pétillant, frais et agréable, à boire jeune, ainsi que le gros-plant dont le nom évoque un vin plus rustique mais cependant sympathique.

Les côtes du Rhône

Ce vignoble s'étend sur six départements et propose une grande variété de vins, rouges dans la majorité.

L'appellation "Côtes du Rhône" regroupe environ cent cinquante communes, et comprend des rouges, des rosés et des blancs. L'appellation "Côtes du Rhône-Village" ne s'applique qu'à une quinzaine de communes du sud de la région. Une douzaine de secteurs ont droit à une appellation plus précise.

Le cépage le plus couramment utilisé est le syrah, qui donne un vin très fort. On mélange quelquefois au syrah d'autres cépages qui apporteront des qualités nouvellles, et même, pour le château-neuf-du-pape, on utilise jusqu'à treize cépages différents.

Les vins

Côte-rôtie. Les étés sont presque toujours torrides, les vins amples, généreux, même capiteux. Tous les côtes-du-Rhône méritent de vieillir en bouteilles: ils y gagnent en profondeur et en subtilité.

Château-grillet. Vin blanc sec et capiteux, mais produit en très petite quantité.

Saint-Joseph. Vins élégants et délicats pour les rouges, légers et souples pour les blancs, ils se boivent plus rapidement que les autres côtes-du-Rhône.

Condrieu. Vins blancs subtils, secs ou demi-secs, très parfumés, à boire jeunes et frais.

Saint-Péray. Des blancs dont une partie est transformée en mousseux (méthode champenoise).

Cornas. Vin rouge vigoureux, coloré, et vieillissant bien.

Hermitage. Vins denses, riches, moelleux, bouquetés, les rouges et les blancs vieillissent avec avantage.

Clairette de Die. Vin blanc mousseux rappelant certains vins pétillants italiens.

Crozes Hermitage. Ces vins sont loin de valoir ceux de l'Hermitage, mais ils ont les caractéristiques de vigueur et de force des vins des Côtes du Rhône.

Châteauneuf-du-Pape. Nous n'énumérerons pas les treize cépages. Dans les limites imposées par la loi, chaque vigneron établit ses variations personnelles. Ce sont des vins riches, amples, corsés, qui arrivent assez vite à maturité. L'appellation existe aussi pour les blancs, mais il y en a peu.

Gigondas. Des rouges, des blancs et des rosés. Ce sont des vins puissants, équilibrés, peu connus donc peu chers, mais qui mériteraient une plus grande célébrité.

Rasteau. Vin doux naturel, ainsi que le beaumes-de-Venise, muscat ambré, peu alcoolisé. C'est un délicieux vin de dessert dont le nom est déjà un régal.

Tavel. Rosé de première qualité, sec, rafraîchissant, nerveux, riche en alcool.

Lirac. Des rosés juste en dessous des tavel, et aussi des vins rouges et blancs inférieurs aux rosés.

Les vins du Jura et de l'Arbois

Les vins jaunes

Quel n'est pas le génie des vignerons? Ils ont su trouver pour chaque région la façon unique de faire le meilleur vin, et celle du Jura est très particulière: le raisin est récolté très mûr, vinifié en blanc, puis laissé en fûts de chêne non ouillés, c'est-à-dire que le vide créé par l'évaporation n'est pas comblé. On le fait partout ailleurs car sinon le vin se piquerait (deviendrait trop acide et tournerait en vinaigre), mais, dans le Jura, des bactéries particulières protègent le vin qui va acquérir en six ans de fût un goût qui n'appartient qu'à lui. Une fois mis en bouteille, le vin jaune se garde facilement cinquante ans. Une si longue attente entraîne des coûts de production élevés et le vin jaune est cher. De plus, il est rare, mais c'est un vin étrange, merveilleux, dont il serait dommage de ne pas faire l'expérience; château-chalons est considéré comme le meilleur des vins jaunes.

Les vins de paille

Ce nom est dû à la couleur du vin et à la technique qu'on lui applique: on fait sécher les raisins cueillis très tard sur de la paille ou sur des claies. L'air les empêche de pourrir et le jus se concentre dans les grains flétris. Cette opération a lieu en hiver, qui n'est pas une saison propice à cause du froid et les risques de perte sont élevés. Le vin est ensuite vinifié comme un autre vin blanc. Il possède un degré d'alcool élevé et un fort pourcentage de sucre; il se garde très longtemps et est d'une rare onctuosité. Les vins jaunes et les vins de paille, pourtant sublimes et extraordinaires, sont en voie de disparition. Ils sont si caractéristiques qu'ils sont impossibles à comparer aux autres vins français.

Côtes du Jura. Des blancs et quelques rouges, vins simples, parfois très bons.

Vins d'Arbois. Plus connus que les précédents, surtout pour les rosés qui ont beaucoup de bouquet, mais les rouges vieillissent agréablement.

Vins de l'Etoile. Rouges, rosés et blancs, traités aussi en mousseux. Vins parfumés mais produits en très petites quantités.

Les vins de Savoie et du Dauphiné

Issus d'une région peu connue, on ne recourt guère à ces vins que pour accompagner la célèbre fondue, mais ils ont pourtant du charme, du naturel, un "goût de terroir" très plaisant. La majorité des vins, même les simples vins de pays, sont de qualité.

Les différents vins

Seyssel. Vins blancs, mousseux ou non, secs, racés, délicats dans les deux cas. Il faut les boire lorsqu'ils sont jeunes.

Crépy. Vins clairs, légers, pleins d'arômes, désaltérants.

Vins de Savoie des Abymes, d'Apremont, de Chignin, d'Ayze. Vins à boire jeunes, frais, francs et fruités; de *Chautagne* pour son vin rouge très typé, à boire également dans l'année.

Les vins du Sud

Les régions

LANGUEDOC-ROUSSILLON

Il s'agit surtout de vins de table; la plupart sont vinifiés en coopératives.

Blanquette de Limoux. Mousseux de petite renommée, vin doux à boire jeune.

Gaillac. Vieux vin par l'histoire, mais à boire jeune. Parfois harmonieux en rouge et en blanc.

Corbières. Des rapports qualité-prix intéressants, si on l'achète dans de bonnes coopératives.

Fitou. Des rouges corsés et parfumés, en progrès grâce aux coopératives.

Minervois. Ce sont surtout les rouges qui sont intéressants, s'ils sont vinifiés correctement.

Côtes du Roussillon. Des rouges de bonne garde, des blancs agréables.

Coteaux-du-Languedoc. Rouges solides, rosés parfumés, capables de finesse.

Vins doux. Banyuls, rivesaltes, frontignan, rancio, muscats divers: vins doux et forts à la fois car on ajoute de l'alcool pour arrêter la fermentation des raisins, ce qui laisse une forte proportion de sucre et donne environ 18°.

Vins de Jurançon. Vin de baptême d'Henri IV, dit-on, vin doux et doré qui subit des normes de production très sévères. Tard vendangé, longtemps conservé en fût, c'est un vin riche au bouquet caractéristique.

Madiran. Vin charnu, corsé, généreux et bouqueté, il vieillit cinq ou dix ans en bouteille, après deux ans de fût.

Bergerac. Vins rouges et blancs, mêmes vignes et mêmes méthodes que dans le Bordelais pour des vins moins renommés mais souvent séduisants, à un prix qui l'est aussi. Pécharmant

produit les meilleurs rouges de Bergerac, généreux et veloutés. Montravel, haut-montravel et côtes-de-montravel sont des vins blancs demi-doux, assez bouquetés mais sans prétentions. Les "Bergerac" et les "Côtes de Bergerac" regroupent des vins de toute la région. Les blancs présentent plus d'intérêt que les rouges.

Monbazillac. C'est un vin blanc liquoreux. Les raisins sont vendangés atteints de "pourriture noble", pratique très ancienne ici et reprise ensuite dans le Sauternais. Le monbazillac est un grand liquoreux, mais il n'a pas la perfection et la finesse du Sauternes. Il se garde vingt ans et plus.

Cahors. Vins de couleur très foncée, denses, parfumés, passés en 1971 de la catégorie V.D.Q.S. à celle supérieure des appellations d'origine contrôlée.

PROVENCE

Un sol propice à la vigne, des rosés trop connus qui ont souffert de leur popularité car la qualité a baissé; des rouges et des blancs qui rappellent certains vins italiens.

Les Côtes-de-Provence. Les vignerons qui améliorent leurs cépages et leurs méthodes produisent des vins parfumés, bien charpentés, très agréables. Pour se faire connaître, ils ont créé leur bouteille, dont l'usage leur est réservé. Il y a quatre appellations d'origine contrôlée.

Vins de Cassis. Des rouges, des blancs capiteux et robustes, des rosés secs et solides.

Vins de Palette et de Bellet. Très petits vignobles, vins souples et bouquetés pour Palette, légers et délicats à Bellet. Bandol: des blancs et des rouges de qualité, des rosés à savourer jeunes.

CORSE

Une des conséquences de la fin de la guerre d'Algérie est l'amélioration du vin corse, grâce à l'implantation de nouveaux viticulteurs qui ont apporté capitaux et méthodes modernes. Il y a huit appellations d'origine contrôlée qui n'ont pas été créées à seule fin d'encourager la qualité car elle est maintenant réelle dans plusieurs endroits. Les coteaux-d'Ajaccio et le patrimonio de Bastia sont les plus connus.

L'Alsace partage avec le Lyonnais, le Bordelais et bien d'autres le privilège d'une fine gastronomie: les vins d'Alsace sont dignes des mets les plus recherchés et les plus variés. Les petits exploitants sont les plus nombreux, il n'y a pas, ou presque, de grandes propriétés. Aujourd'hui, beaucoup d'entre eux vinifient et vendent eux-mêmes leur production. Ils sont obligés, pour avoir une clientèle, de proposer toute la gamme des vins d'Alsace et cela les oblige à planter certaines parcelles (pour le riesling notamment qui est le plus demandé) qui ne sont pas adaptées à la culture de ce cépage. Cela donne des riesling quelconques, dépourvus de l'ampleur d'un bon riesling. Les grandes maisons d'Alsace produisent, lors des très grandes années, des riesling, gewurztraminer ou tokay dits de "vendanges tardives". Soit liquoreux, soit secs et moelleux à la fois, ce sont des grands vins, qu'il faut laisser vieillir en cave de longues années.

Un bon vin d'Alsace porte toujours le nom de son cépage suivi du nom du lieu d'origine. Une bouteille ne portant que le nom du lieu d'origine contient un vin issu de cépages quelconques et de mélanges non précisés.

Riesling. Le meilleur pour de nombreux amateurs; racé, d'un parfait équilibre fruité/acidité, c'est le plus fin des cépages d'Alsace, le plus fin des vins d'Alsace.

Gewurztraminer. "Gewurz" signifie "épicé". C'est un vin élégant, parfois exubérant, charpenté, aux arômes de poivre et de fleurs.

Tokay (ou pinot gris). Vin opulent, généreux, capiteux, puissant, alcoolisé, de bonne garde.

Muscat d'Alsace. Sa saveur est celle du raisin frais, son bouquet est fin, c'est un vin très sec.

Sylvaner. Léger et frais, c'est le dernier des meilleurs vins d'Alsace, à boire jeune. C'est un vin simple et modeste. Le pinot blanc est plus corsé.

Zwicker. Il désigne un vin de coupage entre un raisin "noble" et un raisin commun. "Edelzwicker" (edel veut dire noble) désigne un mélange de variétés nobles.

Le champagne

Symbole de luxe, signe de fête, aboutissement de siècles de tradition et de savoir-faire, le champagne jouit d'une réputation mondiale. Ici encore, un moine est à l'orime de ce vin, et une grande maison a repris son nom pour un champagne de luxe: le "Dom Pérignon".

Le champagne résulte d'un mélange de différents cépages. Le sol est de la craie; les cépages principaux sont le pinot noir (car sauf pour les "blancs de blancs", le champagne est un mélange de raisins noirs et blancs), le pinot meunier, moins noble que le pinot noir, le chardonnay qui donne fraîcheur et finesse au capiteux pinot noir. Les proportions de ces trois cépages varient d'une grande maison à l'autre. Etant donné les coûts de production, très peu de vignerons fabriquent eux-mêmes leur champagne. Le raisin est acheté juste avant la récolte, car il doit être pressuré sitôt cueilli pour éviter que les peaux ne colorent le jus. Il y a trois pressurages: le premier se nomme "cuvée", le second "première taille", le dernier "seconde taille". Cette "seconde taille" ne rentre pas dans la composition des grands champagne. Le champagne passe l'hiver en cuve. On le met ensuite en bouteilles épaisses, car il va continuer d'y fermenter. Il faut en effet beaucoup de gaz carbonique pour avoir une belle mousse, des bulles montant toujours du fond de la flûte. Au bout de deux ou trois ans, les bouteilles sont placées inclinées vers le bas et remuées tous les jours: on amène ainsi le dépôt des parois vers le bouchon. On fait alors sauter le bouchon pour retirer ce dépôt, on remplit ce vide avec un vin identique, additionné d'une quantité plus ou moins grande de sucre selon la catégorie (brut, sec, demi-sec, doux) et on place le nouveau bouchon. Après un nouveau repos de quelques mois, le champagne est mis en vente. Cette préparation impressionnante, longue, minutieuse, suffirait à elle seule à justifier que le champagne ne soit pas bon marché. Si l'on ajoute des récoltes parfois désastreuses dues au climat rigoureux de la Champagne, la sélection des cuvées, on a toute l'explication du prix du champagne. Il faut reconnaître cependant que la renommée est un peu montée à la tête de certains, et que les prix sont parfois excessifs.

Le nom du vignoble importe peu car le champagne est le produit d'un mélange. C'est le nom du fabricant qui compte, et les grandes maisons de Champagne s'attachent à fabriquer un produit égal d'une année à l'autre, d'une qualité constante, et suffisam-

ment caractéristique pour se différencier des champagnes des autres maisons. L'appellation "Champagne" ne vaut que pour la Champagne mais il s'en produit presque deux cents millions de bouteilles. Le champagne rosé obtient sa couleur par macération des peaux avec le jus. Le "blanc de blanc" est issu de raisins blancs, chardonnay principalement, le "blanc de noir" de raisins noirs seulement; les mentions "brut", "sec", etc. doivent apparaître sur l'étiquette; les lettres N.M. signifient "négociant-manipulant", R.M. "récoltant-manipulant", M.A. "marque auxiliaire", donc de qualité moindre. Les maisons les plus réputées sont Moët-et-Chandon, Perrier-Jouët, Mumm, Bollinger, Krug, Clicquot, Taittinger, Laurent-Perrier, Roederer, Heidsieck, Pommery, Mercier, Ayala, etc.

Conclusion

Depuis un siècle environ, grâce aux travaux de Pasteur, on comprend beaucoup mieux le travail du vin, et ce qui a permis d'améliorer considérablement la façon de le faire. Cela a conduit à créer une nouvelle dénomination pour certains vins: ce sont les vins de pays, qui se démarquent nettement des vins ordinaires. Les vins délimités de qualité supérieure ont tendance à devenir des appellations d'origine contrôlée; celles-ci méritent pour certaines de passer dans la catégorie des grands crus. Cette amélioration de la qualité diminue les risques des mauvaises années: parmi les grands crus, il n'y a quasiment plus de mauvais vins. Il faut simplement les boire plus rapidement. La grande qualité des crus les moins prestigieux permet d'acheter des vins superbes à un prix raisonnable.

Il existe des stages de dégustation pour acquérir un meilleur jugement sur le vin et en avoir une plus grande connaissance. Il existe aussi des clubs: vous déléguez vos pouvoirs, un autre goûte pour vous, choisit le vin et vous vend sa sélection. Les achats en gros permettent des prix assez bas et vous recevez en plus une fiche d'information sur le vin que vous avez acheté.

Quand des vins se nomment "Chasse-spleen", "Les amoureuses", "Les charmes", comment ne pas désirer les connaître? Ce livre espère vous avoir donné la curiosité de vouloir découvrir le vin, et le souci de boire des vins de qualité. Un vin bien fait ne donne pas mal à la tête à condition d'en boire raisonnablement: il ne faut pas confondre bien boire et trop boire. Comme on dit dans les confréries du vin: "soyez gourmet, franc buveur et joyeux compagnon"!

Annexes

Le sommelier fut d'abord l'homme occupé à décharger les bêtes de somme. Il en vint à ne considérer que les tonneaux ainsi transportés, puis s'intéressa à leur contenu.

L'art du sommelier consiste à identifier le vin à son bouquet, à son fruit. Il a la mémoire des saveurs, il est capable de dire si un vin jeune peut gagner du corps en vieillissant, il discerne les tares et les maladies. Il est donc chargé de l'approvisionnement et de la gestion des caves. Au restaurant, il vous conseille sur les mariages entre plats et vins et il est le garant de la qualité des vins. Les tableaux qui suivent donnent un avis et une classification généralement acceptée. Ils supportent des exceptions et ne se posent pas en préceptes du savoir manger, car chacun les modifiera en fonction de ses goûts personnels et de ses envies du moment.

TABLEAU DES MILLESIMES

	1964	1966	1967	1969	1970	1971	1972	1973	1974	1975	1976	1977
CHAMPAGNE	TB	TB	B	TB	B	TB	M	TB	M	TB	TB	M
ALSACE	TB	TB	TB	TB	TB	E	M	TB	B	B	TB	M
LOIRE	TB	B	B	TB	B	TB	M	TB	B	B	TB	B
COTES DU RHONE	TB	TB	TB	TB	TB	TB	TB	B	B	B	TB	B
BEAUJOLAIS	TB	TB	TB	TB	TB	TB	M	B	B	M	TB	M
BORDEAUX BLANC	B	TB	E	B	TB	TB	B	B	B	E	TB	B
BORDEAUX ROUGE	TB	E	B	B	E	TB	M	B	B	E	TB	B
BORDEAUX LIQUOREUX	M	B	E	B	E	TB	M	M	M	E	E	M
BOURGOGNE BLANC	TB	TB	B	TB	TB	TB	M	TB	B	B	B	B
BOURGOGNE ROUGE	TB	TB	M	E	M	E	TB	B	B	M	TB	B
VINS JURA	TB	B	TB	TB	M	TB	M	TB	M	B	TB	M

E   =   Année exceptionnelle
TB =   Très bonne année
B   =   Bonne année
P   =   Année passable
M   =   Mauvaise année
-   =   Aucune donnée

(de 1986 à 1996 : Sources : Amicale des sommeliers du Québec – www.asq.ca/France.htm)

1978	1979	1980	1981	1982	1983	1984	1985	1986	1987	1988	1989	1990	1991	1992	1993	1994	1995	1996
B	TB	M	TB	B	B	M	TB	-	-	E	E	E	TB	TB	TB	-	B	-
B	B	M	B	B	E	M	TB	P	B	E	E	E	B	B	P	P	B	TB
TB	B	B	B	B	B	M	TB	P	P	B	E	E	M	P	B	P	TB	E
TB	TB	B	B	B	B	M	TB	B	M	TB	B	E	P	M	P	TB	TB	TB
TB	B	M	TB	B	TB	B	E	-	-	P	TB	TB	E	P	B	B	TB	E
TB	TB	B	TB	B	TB	TB	TB	TB	M	TB	E	E	M	M	P	B	TB	TB
TB	TB	B	TB	E	B	TB	TB	TB	M	E	E	E	P	M	M	M	B	TB
B	TB	TB	TB	TB	TB	TB	-	-	-	TB	TB	TB	P	P	B	TB	B	TB
TB	TB	B	TB	TB	TB	B	TB	B	B	E	TB	E	B	B	B	P	TB	E
E	TB	B	B	B	TB	M	E	TB	B	TB	E	TB	B	M	P	TB	TB	E
B	TB	B	B	B	B	M	TB	-	-	-	-	-	TB	TB	B	B	TB	E

TABLEAU D'ACCORDS ENTRE LES PLATS ET LES VINS

	Eau	Blanc sec	Grand vin blanc ou jaune	Blanc liquoreux	Rosé	Rouge léger
Potages	X					X
Soupes						X
Bisques et potages corsés			X			
Crèmes de volaille ou champignons		X			X	
Consommés						
Soupes de poissons		X			X	
Hors-d'œuvre avec vinaigre	X					
Melon			X	X		
Charcuterie		X				X
Œufs		X				X
Foie gras en entrée			X			
Foie gras en fin de repas				X		
Huîtres et coquillages		X				
Crustacés			X			
Hors-d'œuvre sans vinaigre		X			X	
Entrées chaudes					X	
Poissons		X	X			
Poissons sauce à la crème			X			
Pauchouses meurettes matelotes						
Sauces						
Sauces à la crème				X		
Viandes blanches		X				X
Viandes rouges						
Viandes noires						
Gibier						
Tripes, escargots		X				X
Jambon braisé						X
Légumes						X
Champignons sautés		X				
Champignons en sauce		X	X			
Cèpes						
Morilles		X	X			
Truffes				X		
Roquefort, camembert, munster						
Bleus légers, fromages cuits		X				
Fromages de chèvre		X				X
Fromages à pâte molle						X
Entremets				X		
Desserts				X		
Gâteau au chocolat	X					
Fruits				X		

Rouge corsé	Grand Bourgogne	Grand Bordeaux	Champagne	Vin doux naturel	
					selon acidité des légumes
					même vin que celui utilisé dans le consommé
					même vin blanc ou rouge que pour la cuisson
					même vin

Table des matières

MARIONS-LES !

COMMENT CHOISIR LE VIN